Collection **marabout service**

Dans la même série

— *Tester et enrichir son vocabulaire (MS 104).*
— *Tester et enrichir sa mémoire (MS 128).*
— *Tester et enrichir son anglais (MS 1202).*
— *Tester et enrichir sa culture générale (MS 126).*
— *Tester et enrichir ses connaissances en littérature (MS 1203).*
— *Tester et enrichir son expression écrite (à paraître).*

RAYMOND JACQUENOD

Tester et enrichir son orthographe

Du même auteur chez Marabout :
100 expressions latines usuelles traduites et expliquées (MS 1205)

Sommaire

N.B. Lorsqu'une expression est précédée d'un astérisque, ce signe indique qu'elle n'est pas attestée ou qu'il faut la proscrire. **Exemple :** * *ouillotte* (mot patois).

Rien ne trahit son homme
comme une faute d'orthographe
(Sainte-Beuve)

Introduction

Contrairement aux idées reçues — la forme la plus courante des idées fausses —, l'orthographe n'est pas un savoir mineur. Avoir une bonne orthographe est une preuve de culture, l'indice d'une mémoire fidèle et la manifestation d'un esprit logique. C'est aussi une politesse à l'égard de ceux à qui nous adressons nos messages écrits et, avantage non négligeable, un moyen de mériter leur considération.

Mais, comme toute connaissance, l'orthographe n'est pas donnée : elle s'acquiert — et elle s'entretient par la pratique. Or son acquisition et sa pratique ne sont pas nécessairement choses ennuyeuses. Ce sport intellectuel, après tout, en vaut bien un autre. Demandez-le aux amateurs de Scrabble, de mots croisés ou de mots fléchés. Il y faut un peu d'attention et de patience. D'abord : se rendre compte du niveau de savoir que l'on a atteint en la matière. C'est pourquoi nous avons imaginé cet ouvrage commode qui vous permettra de tester votre orthographe.

Chacun de ses dix premiers chapitres est constitué de six tests notés sur 20. À la fin de chaque chapitre, le tableau récapitulatif vous permettra de calculer votre note. Ces dix chapitres vous auront fait parcourir le tour de tous les aspects de l'orthographe usuelle. Vous pourrez calculer alors votre moyenne générale. Chemin faisant, les réponses abondamment commentées que nous vous aurons proposées vous auront donné le moyen d'enrichir votre orthographe en acquérant les connaissances importantes. Tester ne serait rien, en effet, si cela n'offrait pas l'occasion de progresser. Rien ne vaut un commentaire clair, simple, logique et précis — ou drôle — pour fixer dans l'esprit une règle ou une particularité notable. Car nous nous en tiendrons au savoir courant, sans prétendre former des spécialistes ou des champions. Mais, si vous avez pratiqué nos exercices avec quelque succès, vous serez assuré de faire honorable figure parmi nos contemporains.

Nous vous proposerons alors de "monter sur le ring" et de mesurer vos forces grâce à 3 tests supplémentaires. Nous vous indiquerons aussi le moyen d'aller plus loin dans une découverte qui, nous n'en doutons pas, vous aura éclairé sur vous-même, amusé et encouragé. Ainsi notre petit livre pourra vous aider en plus d'une occasion. C'est pour cela, pour vous instruire en vous distrayant, que nous l'avons écrit.

I

Galop d'essai

Vous allez mesurer vos forces avant le parcours. Les tests de ce premier chapitre sont faciles. Ils concernent les principaux aspects de l'orthographe que vous retrouverez par la suite.

À la fin du chapitre, une grille récapitulative vous permettra de faire un premier bilan.

ORTHOGRAPHE D'USAGE, ORTHOGRAPHE DU SAGE

L'orthographe d'usage concerne la forme des mots indépendamment de toute règle d'accord. C'est la forme du mot que vous trouvez dans votre dictionnaire ou, si l'on veut, la photographie d'identité du mot. Il importe de la connaître parfaitement. Ne pas connaître exactement un mot, ne pas en conserver imperturbablement la forme, ne pas la respecter, c'est en dénaturer la personnalité. L'orthographe d'un mot ne saurait dépendre de notre fantaisie car nous ne nous comprendrions plus. Respecter l'orthographe d'usage, c'est l'attitude *du sage*.

Vous trouverez ci-après des homonymes que vous devrez utiliser pour compléter les expressions de la page de droite. C'est leur orthographe qui les distingue. Bien entendu, vous ferez ce test sans dictionnaire !

Une fois le tableau rempli, vous vous reporterez aux réponses de la p. 14. Vous vous noterez : 2 points par réponse juste, à inscrire dans la case prévue à cet effet.

Vous indiquerez votre total sur 20.

Homonymes

air — aire — ère — haire — hère
alêne — haleine.

▶ Vos réponses

		Notes sur 2
1	l'[......................] du cordonnier	
2	l'[......................] vicié	
3	l'[......................] du rectangle	
4	l'[......................] empestée	
5	le pauvre [......................]	
6	l'[......................] de l'aigle	
7	Serrez ma [..............] avec ma discipline	
8	l'[......................] quaternaire	
9	l'[......................] où l'on bat le blé	
10	l'[...........] furieux	
	Total sur 20	

→ Réponses p. 14

▶ Réponses en vue de l'évaluation

1. alêne
2. air
3. aire
4. haleine
5. hère
6. aire
7. haire
8. ère
9. aire
10. air

▶ Réponses commentées

1. L'alêne du cordonnier
Il s'agit de l'outil, du poinçon d'acier dont le cordonnier se sert pour percer le cuir ; le mot vient de la forme ancienne *alesne*, d'où l'accent circonflexe qui marque la disparition du S : ne pas l'oublier.

2. L'air vicié
Ne commettez pas la grossière erreur qui fait dire à certaines gens : la bonne air*.

3. L'aire du rectangle
Le mot est connu depuis… *La Chanson de Roland* (1080). Il vient du latin *area*, mot féminin qui veut dire surface. Souvent le A d'un mot latin donne E final en français (al*a* → ail*e*).

4. L'haleine empestée
Retenez que l'H de ce mot n'est pas aspiré, d'où l'élision de l'article, c'est-à-dire la suppression du E et son remplacement par l'apostrophe, signe d'élision.

5. Le pauvre hère

Hère vient d'un mot francique (langue germanique employée par les Francs) *harja*, qui désigne un vêtement grossier. Ce mot, que nous retrouverons au n° 7, a donné l'adjectif *haire*, qui signifie *malheureux*. L'adjectif a été ensuite transformé en nom par l'adjonction de l'article (de même qu'on dit : *un* malheureux), et son orthographe, depuis le XVIe s., s'est fixée sous la forme : *hère*. Pour la curiosité, vous pourrez retenir un autre homonyme parfait de ce mot : *hère* désigne aussi, depuis Buffon, un jeune cerf.

6. L'aire de l'aigle

Voir ci-dessus, 3, l'aire du rectangle. Le mot, dans l'emploi que nous lui donnons ici, est à l'origine de l'expression : *être de bonne aire*, c'est-à-dire *né dans un bon nid, né de bonne race* ; d'où l'adjectif : *débonnaire*, dont le sens s'est affaibli pour qualifier un caractère bienveillant. Vous constaterez que l'orthographe est un moyen aussi d'approfondir ses connaissances en vocabulaire, pour peu qu'on cherche à bien identifier le mot, grâce à l'étymologie.

7. Serrez ma haire avec ma discipline

"*Serrez ma haire avec ma discipline*" dit Tartuffe à son valet (dans la pièce de Molière intitulée *Tartuffe*). Il s'agit de l'étoffe grossière signalée plus haut (5) et qu'un pénitent portait à même la peau pour s'obliger à souffrir en expiation de ses fautes. Vous pouvez vous demander comment deux mots qui ont la même origine, le francique *harja*, peuvent avoir deux orthographes différentes. Cela tient à ce que les deux emplois ont été nettement séparés et à ce que les mots ont évolué chacun de son côté. Ou plutôt, l'un a évolué (*hère* = malheureux) tandis que l'autre, un terme technique désignant un objet précis, a vu son orthographe figée. Les mots de ce type qui ont suivi deux évolutions parallèles s'appellent des **doublets**. On voit l'importance de l'aspect orthographique de chaque mot, qui contribue nettement à son identité.

8. L'ère quaternaire
Bien que l'adjectif *quaternaire*, identique au masculin et au féminin, ne le fasse pas apparaître, retenez que le mot *ère* est du féminin.

9. L'aire où l'on bat le blé
Cet emploi et cette orthographe sont à rapprocher du cas n° 3.

10. L'air furieux
Même emploi qu'au numéro 2. Même orthographe.

Le H aspiré

L'haleine, la haire: l'élision a lieu pour l'article du premier nom et pas pour celui du second, car il commence par un *H aspiré*; dans les dictionnaires, un astérisque placé devant cette lettre permet de la reconnaître.

Voici les principaux noms qui commencent par un H aspiré:
le hâbleur, la hache, le haddock, la haie, le haillon, la haine, la haire, le hâle, le hall, la halle, la hallebarde, le hallier, le halo, la halte, le hamac, le Hambourgeois, le hameau, la hampe, le hanap, la hanche, le hand-ball, le handicap, le hangar, le hanneton, la hanse, la hantise, la haquenée, le haquet, le hara-kiri, la harangue, le haras, le harassement, le harcèlement, les hardes, la hardiesse, le harem, le hareng, le haricot, la haridelle, le harnais, le haro, la harpe, la harpie, le harpon, le hasard, le haschisch, la hase, la hâte, le hauban, le haubert, la hausse, la hauteur, le hautbois, le havane, le havre, le havresac, le hayon, le heaume, le henné, le hennin, le hennissement, le hérisson, la hernie, le héron, le héros, le hêtre, le heurt, le heurtoir, le hibou, la hiérarchie, le hile, le hobereau, le hochement, le hochet, le hockey, le Hollandais, le homard, le home, le Hongrois, la honte, le hoquet, la horde, le horion, le hors-d'œuvre, la hotte, le Hottentot, le houblon, la houe, la houille, la houle, la houlette, la houppe, les houseaux, la housse, le houx, le hoyau, le hublot, la huche, le huguenot, le huit, la hulotte, la hune, la huppe, la hure, le hurlement, le hussard, la hutte, **et les mots de la famille de ces noms.**

Vous ne direz donc pas des Z-haricots* ou, comme un parlementaire le fit entendre un jour à la tribune: des H-enfants Z-handicapés*. Et ne répondez pas “à tout T-hasard”, car on vous reprocherait de “faire une liaison qui n'existe pas”.

AU COMMENCEMENT ÉTAIT LE VERBE

Faites une expérience sans aucun secours et voyez si vous maîtrisez au moins les formes usuelles de la conjugaison.

Nous vous donnons, en deux colonnes, à gauche, des expressions numérotées de 1 à 10, où le verbe est à l'infinitif, à droite, la forme à laquelle vous devez mettre l'expression.

→ **Exemple :** dans la colonne de gauche : (*voir*) ; dans la colonne de droite : 2e personne du singulier de l'impératif présent. Dans la grille de réponse de la page suivante vous écrirez : *vois*.

1. (aller, courir, voler)	2e p. du sing. de l'impératif présent
2. Nous (courir)	indicatif imparfait
3. Vous (courir)	conditionnel présent
4. Il (mourir)	indicatif futur simple
5. Je (coudre)	indicatif présent
6. Nous (coudre)	indicatif futur
7. Tu (changer)	indicatif passé simple
8. Vous (venir)	indicatif passé simple
9. Après qu'il (trotter)	indicatif passé antérieur
10. Avant qu'il (répondre)	subjonctif plus-que-parfait

▶ Vos réponses

		Notes sur 2
1		
2	Nous	
3	Vous	
4	Il	
5	Je	
6	Nous	
7	Tu	
8	Vous	
9	Après qu'il	
10	Avant qu'il	
	Total sur 20	

→ Réponses p. 20

▶ Réponses en vue de l'évaluation

1. Va, cours, vole
2. courions
3. courriez
4. mourra
5. couds
6. coudrons
7. changeas
8. vîntes
9. eut trotté
10. eût répondu

▶ Réponses commentées

Le verbe, transcription française du mot latin *verbum*, qui veut dire “la parole”, est en effet la parole par excellence. C'est le mot clé de la phrase. Il faut donc le considérer avec une attention particulière, d'autant plus que les formes verbales sont nombreuses, qu'elles prêtent à confusion et qu'elles sont donc l'occasion de fautes multiples et graves. Inversement, c'est la forme verbale qui éclaire la phrase et par conséquent livre le sens de notre pensée. Si nous écrivons : “Il *vint* (passé simple de l'indicatif) : mon souhait était exaucé”, cela signifie : “Il est réellement venu et mon souhait se trouvait ainsi exaucé.” Mais si nous écrivons : “Qu'il *vînt* : mon souhait était exaucé”, cela signifie : “S'il avait pu venir ! (mais il n'est pas venu) mon souhait aurait été exaucé.” Voyez à quoi tient la différence : essentiellement à l'accent circonflexe sur le i, ce qui indique un subjonctif imparfait, donc le mode de l'irréel.

1. Va, cours, vole

La faute la plus courante consiste à écrire *va* et *vole* avec un S, comme au présent de l'indicatif.

Le rédacteur qui écrit *tu voles* a en effet tendance à écrire *voles* à l'impératif. La règle en ces matières est la suivante :

Tous les verbes, à tous les temps, se terminent par S à la deuxième personne du singulier sauf :

• **À l'impératif** des verbes du 1er groupe (manger, voler) et pour les verbes *aller* (va), *cueillir* (cueille), *ouvrir* (ouvre), *savoir* (sache), *vouloir* (veuille) et les verbes composés avec ceux-ci ; exemple : *recueillir* (recueille).

• **À l'indicatif présent** des verbes *pouvoir* (tu peux), *valoir* (tu vaux), *vouloir* (tu veux).

2. **Nous courions**
Ne pas confondre cet imparfait de l'indicatif, qui ne prend qu'un R, avec la forme suivante (3) *courriez*, qui est celle du conditionnel. L'imparfait se forme avec le radical du verbe *cour(ir)* auquel on ajoute la terminaison de la 1re personne du pluriel de l'imparfait : **-ions**. Voir : *nous mang-ions*.

3. **Vous courriez**
Attention à la conjugaison du verbe *courir* au conditionnel présent :

je courrais
tu courrais
il courrait
nous courrions
vous courriez
ils courraient

Les terminaisons s'ajoutent au radical *courr-* (songez aux deux R du vieil infinitif *courre*, ancienne forme de *courir*) comme elles s'ajoutent à l'infinitif du verbe *manger* pour donner le conditionnel *je manger-ais*.

Il ne faut donc pas confondre *il courait*, avec un

R ("Hier, il *courait*") et *il courrait*, avec deux R ("Il *courrait* plus vite s'il avait de bonnes jambes"). Dans ce dernier cas, la prononciation fait entendre un R plus longuement roulé.

4. **Il mourra**
Comme pour le verbe *courir*, les terminaisons s'ajoutent ici directement aux deux R du radical *mourr* : *je mourrai*, *tu mourras*, etc., ou : *je courrai*, *tu courras*, *il courra*, etc. En règle générale, les terminaisons s'ajoutent à l'infinitif : *je manger-ai*, *tu mangeras*, etc. C'est le cas aussi de *mourir* ou de *courir*, mais le I a disparu entre les deux R : * *Je mour(i)r-ai.*

5. **Je couds**
L'indicatif présent de ce verbe se forme sur le radical de l'infinitif *coud(re)* auquel on ajoute la terminaison de la 1re personne. Attention ! À la 3e personne du singulier, on n'ajoute rien au radical : *il coud* ; aux personnes du pluriel du présent et aux autres temps, **sauf au futur**, le radical change : *nous cousons*, *je cousais*, *je cousis* ; mais : *je coudrai*, *nous coudrons*.

6. **Nous coudrons**
C'est l'exemple de l'exception que nous vous avons annoncée. Faites donc bien attention à la conjugaison de ce verbe un peu compliqué mais très usuel.

7. **Tu changeas**
On notera que pour conserver le son J du radical du verbe *changer*, le E est maintenu entre la consonne finale du radical (G) et la terminaison qui caractérise les personnes du passé simple : *je changeai*, *tu changeas*, etc.

8. Vous vîntes

Vous retiendrez que les première et deuxième personnes du pluriel du passé simple comportent un accent circonflexe sur la terminaison : *nous chantâmes*, *vous vîntes*, etc. Une forme comme *vîntes* s'écrivait en ancien français *vous venistes*, car elle procédait de la forme latine *venistis* (2e p. du pl. du parfait = passé simple français). Vous remarquerez que le S final s'est maintenu. Quant à l'accent circonflexe de la 1re personne du pluriel (*nous vînmes*), il est analogique de celui de *vous vîntes*. Voir encadré page 29.

9. Après qu'il eut trotté

Faites bien attention à cette forme qui appartient à **l'indicatif** : j'eus trotté, tu eus trotté, il eut trotté, nous eûmes trotté, vous eûtes trotté, ils eurent trotté. La locution conjonctive *après que* entraîne en effet l'indicatif. Donc pas d'accent circonflexe sur *il eut trotté*. Pour éviter une erreur, tournez au pluriel : "Après qu'ils *eurent* trotté."

10. Avant qu'il eût répondu

Ne confondez pas avec la forme précédente. Cette fois, il s'agit du plus-que-parfait du subjonctif, dont la conjugaison est la suivante : que j'eusse répondu, que tu eusses répondu, qu'il eût répondu, que nous eussions répondu, que vous eussiez répondu, qu'ils eussent répondu.

Pour éviter une erreur, tournez aussi au pluriel : "Avant qu'ils *eussent* répondu."

ACCORD, PAS D'ACCORD

Avec l'orthographe d'usage (voir test 1) et les formes verbales, les règles d'accord sont un point très important de l'orthographe. Nous verrons dans des chapitres ultérieurs quand et comment appliquer les règles d'accord. Mais où en êtes-vous vis-à-vis de cette connaissance ? À vous de juger, grâce au test que voici.

Nous vous proposons dix phrases avec un mot entre parenthèses. Vous aurez à écrire dans la grille ci-après, à la place appropriée, la forme correcte.

1. Écrivez les phrases que je vous (proposer : futur).
2. Nous appliquerons les remèdes qui nous (réussir : futur).
3. Les mots ont une longue histoire qui les (transformer : présent).
4. Un pull plusieurs fois (lavé) se rétrécit.
5. Un des (nôtre) alla s'adresser au directeur.
6. Ne retombez pas dans les fautes que vous (commettre : passé composé).
7. Les huîtres coûtent (cher).
8. Les légumes ne sont pas (cher).
9. J'ai acheté un fauteuil et une méridienne (revêtu) de la même étoffe.
10. Dans ma chambre (se trouver : présent) un lit, un bureau, une chaise, un fauteuil, une bibliothèque.

▶ Vos réponses

		Notes sur 2
1	Écrivez les phrases que je vous [.....................].	
2	Nous appliquerons les remèdes qui nous [.....................].	
3	Les mots ont une longue histoire qui les [.....................].	
4	Un pull plusieurs fois [.....................] se rétrécit.	
5	Un des [.....................] alla s'adresser au directeur.	
6	Ne retombez pas dans les fautes que vous avez [.....................].	
7	Les huîtres coûtent [.....................].	
8	Les légumes ne sont pas [...............].	
9	J'ai acheté un fauteuil et une méridienne [..............] de la même étoffe.	
10	Dans ma chambre [.....................] un lit, un bureau, une chaise, un fauteuil, une bibliothèque.	
	Total sur 20	

→ Réponses p. 26

▶ Réponses en vue de l'évaluation

1. proposerai
2. réussiront
3. transforme
4. lavé
5. nôtres
6. commises
7. cher
8. chers
9. revêtus
10. se trouvent

▶ Réponses commentées

1. Je vous proposerai

Le verbe s'accorde avec son sujet, même s'il s'en trouve éloigné. Ici, le sujet est à la première personne (*je*). Le pronom *vous* est complément d'objet direct. Ne vous laissez pas abuser par l'homophonie (identité des sons), surtout dans une dictée : *proposerez - proposerai.*

2. Les remèdes qui nous réussiront

Même remarque : l'homophonie est à éviter entre *nous réussirons* et *ils nous réussiront* (*nous* est complément d'objet indirect, dans ce dernier cas). Le sujet est le pronom relatif *qui*, mis pour l'antécédent *remèdes*.

3. Les mots ont une longue histoire qui les transforme

Même remarque ; mais, cette fois, c'est le pronom personnel *les*, complément d'objet direct, qui est au contact du verbe.

4. **Un pull plusieurs fois lavé**
Le participe *lavé*, employé comme adjectif, s'accorde avec le nom qu'il qualifie : *pull. Plusieurs fois* est une expression au pluriel qui complète le participe *lavé.*

5. **Un des nôtres**
Les nôtres, pronom personnel, a un singulier et un pluriel comme il a un masculin et un féminin : *le nôtre*, *la nôtre*, *les nôtres* ; le *des* vient de la contraction de la préposition *de* avec la première partie du pronom. Ne pas le confondre avec l'article indéfini pluriel : *des* (Il élève *des* lapins).

6. **Les fautes que vous avez commises**
Nous avons affaire ici à une des règles d'accord du participe passé : le participe passé employé avec l'auxiliaire *avoir* s'accorde avec le complément d'objet direct si celui-ci est placé avant le verbe. C'est le cas, puisque le C.O.D. est le pronom relatif *que*. Ce pronom est mis pour l'antécédent *fautes*, féminin pluriel.

7. **Les huîtres coûtent cher**
Cher est ici un adverbe **invariable**. On reconnaît cet emploi au fait que le mot *cher* s'applique au verbe *coûtent* (un adverbe est un mot qui modifie le sens d'un verbe, d'un adjectif ou d'un autre adverbe).

8. **Les légumes ne sont pas chers**
Chers est cette fois un adjectif attribut du sujet *légumes* ; il s'accorde avec lui. On reconnaît son emploi comme attribut (et donc sa nature d'adjectif) à la présence du verbe *être* qui est **un verbe copule**, c'est-à-dire dont le rôle consiste à mettre en relation, à unir, un sujet et son attribut. De

même, voyez les verbes *sembler*, *devenir*, *paraître* ("les carottes semblent fraîches ; elles deviennent chères ; elles paraissent appétissantes").

9. **Un fauteuil et une méridienne revêtus**
Revêtus, participe employé comme adjectif, s'accorde comme un adjectif ; ici, il se met au pluriel car il se rapporte à deux noms (même si chacun d'eux est au singulier) et il se met au masculin (car l'un des noms auxquels il se rapporte est au masculin, qui impose son genre : la grammaire n'est pas féministe !). Il est d'ailleurs plutôt recommandé (mais non imposé), dans un tel cas, de placer le mot masculin au contact de l'adjectif ou du participe employé comme adjectif : *une méridienne et un fauteuil revêtus*...
En passant, un peu de vocabulaire : une *méridienne* est une sorte de canapé Empire mis à la mode par l'impératrice Joséphine, qui avait importé l'habitude de ces pays chauds où l'on prend un repos à midi, repos appelé justement *méridienne* (sieste *méridienne*, c'est-à-dire "du milieu du jour").

10. **Dans ma chambre se trouvent un lit, un bureau...**
Le verbe *se trouvent* est à la 3e personne du pluriel car le verbe se met au pluriel quand il a plusieurs sujets au singulier : ceux-ci s'additionnent.

Vous vîntes, nous vînmes

▶ Voir TEST 2

Ces terminaisons des deux premières personnes du pluriel du passé simple de l'indicatif sont des formes dites “savantes”.

On a écrit jusqu'au XVIIe siècle *vous venistes*; notre accent circonflexe actuel rappelle le S intérieur: effet d'allongement.

C'est, comme il vous a été signalé dans le commentaire de vos réponses, par analogie avec cette forme que la première personne du pluriel a reçu également un S intérieur qui n'existait pas dans la forme latine (*venimus*). On a donc écrit: *nous venismes.*

Et cette forme a donné de nos jours *nous vînmes*, avec l'accent circonflexe rappelant le 1er S.

DRÔLE DE GENRE

Pour faire accorder convenablement un adjectif avec le nom auquel il se rapporte, encore faut-il ne pas se tromper sur le genre des noms. Vérifiez, à propos de dix noms très usuels, si vous ne commettez pas d'erreur sur leur genre qui est parfois un "drôle de genre".

Ces dix noms seront employés dans dix phrases. Vous aurez, dans la grille ci-après, à indiquer en face de chacun le genre que vous lui donnez (M pour masculin, F pour féminin).

→ **Exemple**: Manquant de *mémoire*, il ne pouvait rien retenir. (F)

1. L'*incendie* a ravagé l'immeuble.
2. Le satellite est enfin sur *orbite*.
3. Les *éclairs* zèbrent le ciel d'orage.
4. Je ne connais pas de *greffe* qui réussisse à coup sûr.
5. Le colonel a convoqué les *trompettes* de la fanfare pour les féliciter.
6. Les grands magasins affichent leurs *soldes*.
7. Chateaubriand est l'auteur des *Mémoires* d'outre-tombe.
8. Quittez votre *voile* de deuil !
9. Je cherche deux *mousses* pour embarquer.
10. Les *critiques* n'arrivent jamais à se mettre d'accord entre confrères.

Certains de ces mots peuvent être au masculin dans un sens, au féminin dans un autre, mais, ici, le contexte supprime toute ambiguïté.

▶ Vos réponses

		Notes sur 2
1	L'*incendie* a ravagé l'immeuble.	
2	Le satellite est enfin sur *orbite*.	
3	Les *éclairs* zèbrent le ciel d'orage.	
4	Je ne connais pas de *greffe* qui réussisse à coup sûr.	
5	Le colonel a convoqué les *trompettes* de la fanfare pour les féliciter.	
6	Les grands magasins affichent leurs *soldes*.	
7	Chateaubriand est l'auteur des *Mémoires* d'outre-tombe.	
8	Quittez votre *voile* de deuil !	
9	Je cherche deux *mousses* pour embarquer.	
10	Les *critiques* n'arrivent jamais à se mettre d'accord entre confrères.	
	Total sur 20	

→ Réponses p. 32

▶ Réponses en vue de l'évaluation

1. M	3. M	5. M	7. M	9. M
2. F	4. F	6. M	8. M	10. M.

▶ Réponses commentées

1. Incendie

L'*incendie* a ravagé l'immeuble.

Le mot s'écrivait *encendi* au milieu du XIIe s. (du latin *incendium* qui est, dans cette langue, un nom neutre : ni masculin, ni féminin — c'est le troisième sexe des mots !). L'orthographe *incendie* date du XIIe s. Mais retenez que le E final dans un nom ne correspond pas nécessairement à un féminin.

2. Orbite

Le satellite est enfin sur *orbite.*

Orbite (F) est un mot très employé à notre époque de satellites. Mais son genre est fréquemment maltraité. En effet, on est trompé par le genre masculin du mot *orbe* (*un orbe*), espace circonscrit par *l'orbite* (*une orbite*) d'une planète. Les deux mots viennent du latin *orbis* (cercle). Retenez la phrase : "La petite orbite n'enferme pas un grand orbe."

Notez bien la dernière syllabe du mot *orbite* (TE) et ne confondez pas avec *arbitre* (TRE).

3. Éclair

Les *éclairs* zèbrent le ciel d'orage.

Éclair vient du verbe *éclairer.* C'est ce qu'on appelle un *déverbal*, c'est-à-dire un substantif, un nom, formé du radical verbal pur (voyez de même le verbe *porter* qui donne *le port* d'une lettre). On forme aussi un déverbal en mettant simplement un article (l'article *le*) devant l'infinitif : *le boire*, *le manger*. Or, vous observerez que, dans ces cas, on crée **un masculin**.

4. Greffe

Je ne connais pas de *greffe* qui réussisse à coup sûr.

Attention, le mot *greffe* a deux sens (avec deux genres) différents :

— *le greffe* est *le* lieu destiné à recevoir les archives des tribunaux ;

— *la greffe* est *une* opération consistant à insérer une partie vivante d'un végétal dans un autre végétal, le sujet (c'est le sens à retenir dans la phrase citée).

Pour retenir la différence, dites-vous que *le* greffe est *un* lieu et que *la* greffe est *une* opération.

5. Trompette

Le colonel a convoqué les *trompettes* de la fanfare.

Le mot *trompette* a lui aussi deux sens et deux genres. *La* trompette est un instrument de musique ; *le* trompette est celui qui en joue. Il est bien évident, ici, que le colonel n'a pas convoqué des instruments, mais des musiciens. Vous retiendrez qu'on désigne souvent le musicien par le nom de l'instrument dont il joue : on parlera *d'un premier violon*, des *altos*, à côté des expressions *violoniste* ou *altistes*, quand on songe aux divers groupes d'instrumentistes dans l'orchestre. Mais cela ne vous autorise pas à confondre *un tambour* (instrument) avec *un tambour* (les tambours du roi).

6. Soldes

Les grands magasins affichent leurs *soldes*.

Le genre du mot *solde* est largement ignoré, même

(et surtout) dans les magasins. Le mot est *masculin*, car il désigne *le* reste à payer d'un compte ou *le* reste à liquider d'un stock. On doit donc dire : "Les soldes sont *avantageux* cette année." Au féminin, le mot désigne la paye allouée au soldat.

Cependant, on note une tendance à distinguer *le solde*, au singulier (ce qui reste à payer), nettement perçu comme un masculin, et *les soldes*, au pluriel (marchandises qui restent à vendre et qu'on liquide à prix réduit), cette dernière expression étant perçue, **à tort**, comme un féminin.

7. Mémoires

Chateaubriand est l'auteur des *Mémoires d'outre-tombe.*

De même, le mot *mémoire* prête à confusion. Ici, il s'agit du mot au masculin, comme lorsque vous parlez d'un *mémoire* des sommes qui vous sont dues. Les *Mémoires d'outre-tombe* sont comme *le bilan* que Chateaubriand dresse de son existence. C'est dans ce sens que les auteurs rédigent de *copieux mémoires.*

La mémoire, au féminin, désigne la faculté que nous avons de nous souvenir.

8. Voile

Quittez votre *voile* de deuil.

Le voile de deuil ne doit pas être confondu avec *la voile du bateau.* Les deux mots viennent du latin *velum*, voile (neutre). Quand on a traduit directement le mot *velum*, il a été ressenti (XIIe s.) comme un masculin (traduction ordinaire du neutre en français). Mais au pluriel, en latin, *velum* donne *vela* ; or les mots latins terminés par A, bien qu'ils ne soient pas toujours, on le voit, des féminins ou des singuliers, sont ressentis et transcrits comme des féminins singuliers ; c'est ainsi que *vela* a pu donner *une* voile. D'où le doublet : *un voile* (de deuil) — *une voile* (de bateau).

9. Mousse

Je cherche deux *mousses* pour embarquer.

Le nom masculin qui nous occupe ici et qui désigne l'apprenti marin est à rapprocher de l'italien *mozzo* et de l'espagnol *mozo* qui, l'un et l'autre, veulent dire : garçon.

Le dictionnaire étymologique de Dauzat nous apprend que le mot *mousse*, au féminin, viendrait du francien (dialecte de l'Ile-de-France) *mossa*, dérivé lui-même du latin *mussula*, peut-être avec une influence d'un autre mot latin *mulsa* = hydromel (cher aux Gaulois), féminin substantivé du latin *mulsus*, “miellé”, de *mel* (miel) ; le mot *mousse*, toujours au féminin, qui désigne l'écume, serait un emploi dû à la comparaison implicite avec la mousse végétale (emploi dit : par métaphore).

Notre langue avait encore autrefois un troisième nom *mousse* au féminin, pour désigner “une jeune fille”.

10. Critique

Les *critiques* n'arrivent jamais à se mettre d'accord entre confrères.

Critique, au masculin (c'est le cas ici), désigne l'écrivain qui consacre son talent à faire *la critique* (au féminin) des ouvrages des autres auteurs. Ce terme “critique” doit être entendu au sens de jugement critique et non pas nécessairement au sens de dénigrement ! *Un bon critique* sait faire *une critique* lucide et équitable des ouvrages qu'il examine. Ce critique peut être une femme et sa critique peut être bonne.

D'UN SEXE À L'AUTRE

Les mots, nous l'avons vu, ne sont pas asexués. Il leur arrive même d'avoir deux sexes ! Nous l'avons constaté. Il leur arrive aussi d'avoir à changer de sexe, et les noms comme les adjectifs se sont donné des féminins. Nous n'allons pas, dans ce "galop d'essai", passer en revue toutes les règles auxquelles obéissent ces transformations. Le test suivant ne vous en donnera qu'une idée.

Il s'agit de compléter le tableau, en inscrivant soit le masculin, soit le féminin, pour associer correctement un sexe à l'autre.

→ **Par exemple**, si l'on vous donne dans la colonne de gauche de la grille le masculin : *un instituteur*, vous écrirez dans l'espace entre crochets de la colonne de droite : *une institutrice* ; si l'on vous donne dans la colonne de droite de la grille le féminin : *une brebis*, vous écrirez dans l'espace entre crochets de la colonne de gauche : *un bélier*.

▶ Vos réponses

			Notes sur 2
1	un [......................]	une poule	
2	un [......................]	une compagne	
3	un paysan	une [.....................]	
4	un [......................]	une favorite	
5	un captif	une [.....................]	
6	un malin	une [.....................]	
7	un jars	une [.....................]	
8	un Suisse	une [.....................]	
9	un [......................]	une épouse	
10	un métis	une [.....................]	
		Total sur 20	

→ Réponses p. 38

▶ Réponses en vue de l'évaluation

1. coq
2. compagnon
3. paysanne
4. favori
5. captive
6. maligne
7. oie
8. Suissesse
9. époux
10. métisse

▶ Réponses commentées

1. Coq

La relation qui existe entre certains masculins et certains féminins n'est pas de caractère linguistique, mais de caractère sémantique, c'est-à-dire que cette relation ne concerne que les signifiés, qui ont une correspondance dans l'ordre de l'esprit. *Coq* et *poule* n'ont pas d'éléments linguistiques communs, si ce n'est l'association par le sens.

2. Compagnon

Le mot *compagnon* appartient à la catégorie des mots qui transforment leur dernière syllabe. *Compagnon* signifie étymologiquement : “celui qui mange son pain avec” (quelqu'un d'autre). Rapprochez le mot *copain*, apparu au XVIIIe s. Compagnon est une forme de ce qu'on appelle le cas régime (c'est-à-dire une forme correspondant à un emploi du mot comme complément) tandis que *copain* correspond au cas sujet (*compain*, en ancien français ; encore en usage pour désigner certains lieux-dits : le Pas de Compain, en Auvergne, désigne un *passage* — *pas* — où il ne faut s'aventurer qu'avec un *compain*). On trouve à partir de la fin du XIXe s. un féminin irrégulier *copine*, formé sur le suffixe *-in* (en raison de la transcription purement phonétique de *copain*).

3. **Paysanne**
Paysan appartient à la catégorie des noms qui doublent la dernière consonne au féminin (chien, chienne ; patron, patronne ; chat, chatte ; paysan, paysanne).

4. **Favori**
Favori appartient à la catégorie des adjectifs substantivés (utilisés comme noms) qui ajoutent une consonne nouvelle pour former leur féminin : *favorite*. Retenez bien la forme du masculin en i. Le mot vient de l'italien *favorito* en perdant la dernière syllabe, ressentie comme étrangère, tandis que le féminin, venu de *favorita*, a seulement transformé le A en E.

5. **Captive**
Captif, captive : ces mots sont généralement des adjectifs employés substantivement. Ils transforment leur dernière consonne devant E. Deux noms, *juif* et *loup*, connaissent la même transformation : *juive*, *louve*.

6. **Maligne**
Attention à ce féminin *maligne*, souvent prononcé **à tort** MALI-NE. Songez au nom : la *malignité*. *Malin* vient du latin *malignus* (méchant), dont le féminin était *maligna*.

7. Oie

Voilà un féminin qui n'a qu'un rapport de sens avec le masculin *jars*. La lointaine origine du mot *oie* est le mot latin *avis* (l'oiseau), qui a donné en latin tardif *avica* puis *auca* (par contraction). Le mot a remplacé alors le mot latin *anser* qui voulait dire *oie* dans la langue classique. Par une évolution phonétique normale, *auca* a donné des noms comme *oe*, *oue* (avec le diminutif **ouillotte*, dans certains patois) ; le mot *oue* est resté pour baptiser une rue de Paris, "la rue aux Oues", expression altérée depuis le XVIIe siècle en "rue aux Ours". La forme moderne du nom *oie* a été refaite d'après *oiseau*, *oison*. Pour satisfaire les curieux, rappelons aussi que le mot *auca* (l'ancêtre de l'oie) en passant par le languedocien *pe d'auco* (italien *pede d'occa*) a donné le surnom *Pédauque* (dont les pieds sont palmés comme ceux d'une oie) à la reine Berthe de Bourgogne (née vers 962), première femme de Robert le Pieux (970-1031). Elle aurait de plus, la malheureuse, donné naissance à un enfant dont la tête et le cou étaient ceux d'une oie.

8. Suissesse

Les adjectifs : borgne, drôle, ivrogne, mulâtre, nègre, pauvre, suisse, ont la même forme au masculin et au féminin. Mais s'ils sont employés comme noms, le féminin est alors en *-esse* : une *borgnesse*, une *drôlesse*, une *Suissesse*, etc.

9. Époux

Retenez que les noms en *-oux* font leur féminin en *-ouse*.

10. Métisse

Voici un nom qui, selon la règle que nous avons rencontrée à propos de *paysan*, *paysanne*, double au féminin la consonne finale. Vous noterez que le S du masculin *métis* se prononce, alors qu'il ne se prononce pas dans d'autres mots comme *abatis*, *devis*, etc. ; cela est dû à la contamination de la prononciation du féminin.

AVEC L'ACCENT

Nous avons eu déjà l'occasion de souligner l'importance de l'accentuation (voir ci-dessus test 2). Les accents et les trémas sont des signes orthographiques indispensables en français. Nous allons vous présenter un texte dans lequel le typographe les a malheureusement oubliés. En faut-il ? N'en faut-il pas ? Où en faut-il ? Où n'en faut-il pas ? Et quels accents ? Tout ce que nous avons pu faire, c'est de souligner les mots pour lesquels nous nous posons la question. À vous de répondre en récrivant ces mots correctement dans la grille ci-après : il vous suffit de mettre, s'il y a lieu, l'accent qui convient.

La tourterelle

Durant plusieurs jours, a (1) l'heure meme (2) ou (3) le soleil parait (4), une tourterelle s'en vint (5) sur le faite (6) de notre (7) toit, a (8) moins que ce ne fut (9) sur la cime (10) d'un des conifères (11) du jardin ou (12) d'un parc voisin du notre (13), roucouler en longs chapitres (14) sa complainte naive (15). Ce fut (16) une présence d'abord gracieuse (17), mais que nous entendimes (18) bientot (19) avec agacement. La discrete (20) tourterelle le devina et partit chanter ailleurs.

▶ Vos réponses

Un accent mis là où il n'en faut pas = 0
Un accent oublié = 0
Un accent mal choisi (un aigu au lieu d'un grave, par exemple) = 0

		1 point par réponse			1 point par réponse
1	a		11	conifères	
2	meme		12	ou	
3	ou		13	notre	
4	parait		14	chapitres	
5	vint		15	naive	
6	faite		16	fut	
7	notre		17	gracieuse	
8	a		18	entendimes	
9	fut		19	bientot	
10	cime		20	discrete	
				Total sur 20	18

→ Réponses p. 44

▶ Réponses en vue de l'évaluation

1. à	11. conifères
2. même	12. ou
3. où	13. nôtre
4. paraît	14. chapitres
5. vint	15. naïve
6. faîte	16. fut
7. notre	17. gracieuse
8. à	18. entendîmes
9. fût	19. bientôt
10. cime	20. discrète

Et voici le texte correctement accentué :

La tourterelle

Durant plusieurs jours, à (1) l'heure même (2) où (3) le soleil paraît (4), une tourterelle s'en vint (5) sur le faîte (6) de notre (7) toit, à (8) moins que ce ne fût (9) sur la cime (10) d'un des conifères (11) du jardin ou (12) d'un parc voisin du nôtre (13), roucouler en longs chapitres (14) sa complainte naïve (15). Ce fut (16) une présence d'abord gracieuse (17), mais que nous entendîmes (18) bientôt (19) avec agacement. La discrète (20) tourterelle le devina et partit chanter ailleurs.

▶ Réponses commentées

1. L'accent sur *à* sert à le distinguer de la 3e personne du présent du verbe *avoir*. En effet le mot est ici une préposition introduisant le complément *heure*. Ne pas mettre cet accent conduit à penser que vous ne savez pas distinguer un verbe d'une préposition : faute grave contre la logique grammaticale et contre la logique du sens.

2. L'accent circonflexe de *même* relève de l'orthographe d'usage. Il rappelle le S qui se trouvait dans l'ancienne forme du mot : *meisme*, puis *mesme*.

3. L'accent sur *où* sert aussi à distinguer le pronom adverbe relatif de la conjonction de coordination (*ou bien*). Même remarque que pour 1.

4. *Paraître* (orthographe d'usage). L'accent circonflexe vient aussi du S de l'ancienne forme *parestre*, du bas latin *parescere*. Connaissez bien la conjugaison de ce verbe. L'*I* prend l'accent circonflexe devant le *T* mais pas devant l'*S* : je para*i*s, je para*i*ssais, il para*ît*.

5. *Vint* : pas d'accent à la 3e p. du sing. du passé simple.

6. *Faîte* (orthographe d'usage) : le mot était écrit *feste* (du latin *fastigium*). Comme il est fréquent (voir ci-dessus), l'accent circonflexe rappelle le S.

7. *Notre* : pas d'accent sur les adjectifs possessifs *notre* ou *votre*, ce qui les distingue des pronoms *le nôtre*, *le vôtre*. Cependant l'adjectif vient de *noster*. Vous vous demandez pourquoi le S n'a pas donné un accent circonflexe. C'est que l'accent circonflexe marque un allongement et signale un O long et fermé. Or, dans le cas de l'adjectif, vous le constatez vous-même, le O est bref et ouvert (vous ne prononcez pas de la même manière *notre cahier* et *le nôtre*). L'adjectif *notre* est une forme **proclitique**, c'est-à-dire une forme

qui ne présente pas d'accent d'intensité, mais qui s'appuie (sens du mot d'origine grecque *proclitique*) sur le mot qui suit, lequel porte l'accent d'intensité.
En revanche, le pronom est une forme accentuée, car il n'a pas de mot sur lequel s'appuyer. La notion **d'accent d'intensité** est importante pour comprendre la transformation des mots au cours des âges.

8. *À* n'est pas un verbe et fait partie de la locution conjonctive *à moins que* (voir ci-dessus 1).

9. *Fût* : est l'imparfait du subjonctif. Ne pas mettre l'accent qui le caractérise relève d'une grave faute d'analyse. Le subjonctif est commandé par la locution *à moins que*, qui introduit une proposition marquant la restriction. C'est un fait de pensée ; or les verbes qui expriment des faits de pensée se mettent au subjonctif (ex., pour exprimer la crainte, fait de pensée : "Je crains que tu ne *viennes* pas").
L'imparfait est commandé par ce qu'on appelle la concordance des temps.

10. *Cime* ne porte pas d'accent circonflexe ; le mot *abîme* en comporte un, ce qui fait dire plaisamment que "le chapeau (l'accent) de la cime est tombé dans l'abîme", une formule facile à retenir.

11. *Conifère* vient de *cône*, mais le premier n'a pas d'accent alors que le second en a un. Fantaisie de l'orthographe ! Elle dépend parfois du choix (arbitraire) de l'auteur qui a importé le mot. *Conifère* a été introduit en 1523 par un savant auteur nommé J. de Mortières et *cône* se lit en 1552 sous la plume de Rabelais.

12. *Ou* : conjonction (voir 1 et 3).

13. *Nôtre* : voir ci-dessus n° 7. *Du nôtre* résulte de la contraction de la préposition *de* et du pronom possessif.

14. *Chapitre* ne porte pas d'accent circonflexe. Ne confondez pas avec *épître. Chapitre* vient du latin *capitulum* où le *i* est bref, tandis qu'*épître* vient du latin *epistola*, venu lui-même du grec *epistolê* (lettre) ; vous y retrouvez la trace du S sous forme de l'accent.

15. *Naïve* : n'oubliez pas le tréma. Il indique que la lettre précédant celle sur laquelle il est placé se prononce séparément.

16. *Fut* : passé simple du verbe être (voir n° 5).

17. *Gracieuse* et les mots de la famille ne comportent pas d'accent circonflexe sauf *grâce* et *disgrâce*.

18. *Entendîmes* : 1re pers. du pl. du passé simple de l'indicatif. Vous savez (voir test 2. 8) que cette forme est accentuée.

19. *Bientôt* : accent circonflexe car tôt vient de *tost* (ancien français) : d'où l'accent qui rappelle le S.

20. *Discrète* : les adjectifs complet, concret, désuet, discret, quiet, secret (et leurs composés) font leur féminin sous les formes : *complète*, *concrète*, *discrète*, etc.

La concordance des temps

Lorsqu'une proposition subordonnée est au subjonctif, le temps employé dépend du temps du verbe principal. Si celui-ci est au présent, le verbe de la subordonnée est au présent ou au passé du subjonctif, suivant que ce qu'il exprime est contemporain de l'action principale ou antérieur à cette action :

Je crains qu'il *pleuve*
Je crains qu'il *ait plu.*

Si le verbe principal est au passé, on emploie alors l'imparfait ou le plus-que-parfait du subjonctif, selon le cas :

Je craignais qu'il *fît* nuit
Je craignais qu'il *fût venu.*

Cette règle, de moins en moins observée dans le langage parlé, même soutenu (de bonne qualité), reste impérative à l'écrit si l'on tient à observer une rigoureuse correction.

ÉVALUATION RÉCAPITULATIVE DU CHAPITRE I

Numóro du test		Note sur 20
1	ORTHOGRAPHE D'USAGE ORTHOGRAPHE DU SAGE	
2	AU COMMENCEMENT ÉTAIT LE VERBE	
3	ACCORD, PAS D'ACCORD	
4	DRÔLE DE GENRE	
5	D'UN SEXE À L'AUTRE	
6	AVEC L'ACCENT	

Total sur 120 ☐

Note sur 20 (total divisé par 6) ☐

II

Pour commencer

Ce chapitre est consacré à l'étude des syllabes **initiales**, c'est-à-dire à l'étude des syllabes par lesquelles *commencent* les mots. Dans notre revue générale de l'orthographe d'usage, n'est-ce pas là ce qu'il faut apprendre… pour commencer ?

PAS SI SIMPLE QU'ON CROIT

Les syllabes initiales ab-, ad-, ag-, am- (prononcer : [amm']), an- (prononcer [ann']), ar-, bal-, bar-, bat-, cam-, def-, el-, en-, er-, et-, in- (prononcer [inn']), mal-, man- (prononcer [mann']), mar-, mat-, mol-, op-, or-, pal-, pan- (prononcer [pann']), par-, pat-, pit-, pol-, rab-, rac-, rag-, ram-, rem-, ren-, sol-, se présentent avec une consonne simple. Voyez par exemple : *ab*order, *ad*opter, *ba*teau, *mal*adie, *mar*iage, etc. Mais il ne faudrait pas s'y fier et il est bon de contrôler l'orthographe complète du mot dans le dictionnaire.

Nous allons vous proposer dix mots que vous devez bien connaître, dans lesquels, en effet, la consonne de la syllabe initiale n'est pas doublée : *un are* (mesure de surface), *une balade* (promenade), *un bar*, *une ère* (époque), *un mâle*, *un mari*, *un môle* (jetée à l'entrée d'un port), *un palier*, *la pâte*, *une rêne* (la courroie par laquelle on conduit un cheval). Vous le voyez, dans le mot *are*, par exemple, la consonne de la syllabe initiale (R) n'est pas doublée ; dans *balade*, la consonne L n'est pas doublée, etc. En face de chacun de ces dix mots, nous écrirons la définition d'un homonyme (mot de même prononciation mais de sens très différent) dans lequel la consonne sera doublée.

→ **Par exemple**, soit le mot proposé : *acore* (nom d'une plante). Définition de l'homonyme ou la consonne sera doublée : "Union des esprits et des sentiments." Mot à trouver (et à inscrire dans le tableau en face de *acore*) : *accord*.

Vous devez avoir 20 ! Et sans tricher…

1. are / ce qui est donné comme gage de l'exécution d'un marché.
2. balade / forme poétique prisée de Cyrano.
3. bar / pièce de bois ou de métal étroite et longue.
4. ère / manière de marcher, allure (vitesse restante d'un navire).
5. mâle / coffre où l'on enferme les objets qu'on emporte en voyage.
6. mari / désolé.
7. môle / elle n'est pas dure.
8. palier / déguiser en donnant une apparence favorable.
9. pâte / organe de locomotion.
10. rêne / mammifère ruminant.

▶ Vos réponses

Pour être valables, vos réponses ne doivent évidemment comporter **aucune** faute d'orthographe.

			Notes sur 2
1	are		
2	balade		
3	bar		
4	ère		
5	mâle		
6	mari		
7	môle		
8	palier		
9	pâte		
10	rêne		
		Total sur 20	

→ Réponses p. 56

Les mots dans lesquels la consonne initiale n'est pas doublée

Voici un exemple correspondant à chacun des types d'initiales signalés p. 52 :

un abus, un adage, agacer, amener, anéantir, araser, un balai, un baril, un bateau, camus, défiler, élire, énerver, ériger, un état, inoculer, malade, manier, un marin, mater, une molécule, une opinion, un palier, paner, paraître, patibulaire, la pitié, la police, rabattre, la racaille, un ragoût, un ramier, une remarque, renier, un soliste.

Réponses en vue de l'évaluation

1. arrhes
2. ballade
3. barre
4. erre
5. malle
6. marri
7. molle
8. pallier
9. patte
10. renne

Réponses commentées

1. Arrhes

Autres exceptions constituées de syllabes initiales où la consonne R est doublée : *arracher*, *arranger*, *arrérages*, *arrêter*, *arrière*, *arrimer*, *arriver*, *s'arroger*, *arrondir*, *arroser* et leurs dérivés.

2. Ballade

Vous avez reconnu l'allusion à la ballade du duel dans *Cyrano de Bergerac* d'Edmond Rostand. Autres exceptions : *ballant*, *ballet*, *ballerine*, *ballon*, *ballot*, *ballottage*, et leurs dérivés.

3. Barre

Autres exceptions : *barrage*, *barrette*, *barricade*, *barrique*, *barrissement*.

4. Erre

Autres exceptions : tous les mots de la famille de *errer*. Ne commettez pas d'*erreur* !

5. Malle

Autres exceptions : *malléable* et ses dérivés, comme les dérivés de *malle*, bien entendu.

6. Marri

Le billet du correspondant diplomatique du journal "Le Monde", à l'occasion du Sommet de l'O.N.U. du 31 janvier 1992, titre : "M. Genscher, *marri* de ne pas en être". Le ministre des Affaires étrangères d'Allemagne regrette de ne pas faire partie de ce qu'il appelle un "club de privilégiés" et considère cela comme une "provocation". Voilà comment on s'exprime quand on est *marri*. Retenez ce mot, puissiez-vous ne jamais être "marri" et... retenez aussi les exceptions analogues : *marraine*, *marron*, et leurs dérivés.

7. Molle

Les exceptions concernent tous les mots de la famille de *mou*, à l'exception de l'adjectif *mol*, qui est l'autre forme de ce masculin, encore employée lorsqu'il s'agit d'éviter un hiatus ; on ne dit pas : le *mou oreiller, car la rencontre de la diphtongue *ou* et de la consonne *o* crée un hiatus ; on dira : *le mol oreiller*. De même vous écrirez : *un mol enthousiasme*. Mais vous pourrez écrire et dire : *un oreiller mou*, *un enthousiasme mou*.

8. Pallier

Profitez de la rencontre de ce mot pour en bien retenir le sens et l'emploi (approfondir ses connaissances en orthographe, c'est aussi le moyen d'enrichir son vocabulaire et d'apprendre à mieux s'exprimer).

Pallier ne veut pas dire *résoudre* : pallier une difficulté, ce n'est pas la résoudre, c'est au contraire la camoufler, faute de pouvoir la résoudre. C'est la recouvrir d'un *pallium* (sorte de manteau que les Romains empruntèrent aux Grecs — et qu'ils nous ont repassé sous la forme du... *poêle* : drap noir dissimulant le cercueil). Ne confondez pas non plus la construction du verbe *pallier*, verbe transitif direct (avec complément d'objet direct), et celle du verbe *parer à* (transitif indirect). Retenez donc cet exemple :

"Il est plus courageux de parer à une difficulté que de pallier cette difficulté."

Et cet autre exemple qui se complique de l'accord du participe : "Je me souviens plus volontiers des difficultés auxquelles j'ai paré que de celles que j'ai palliées."

Retenez encore ce nom : un *palliatif*.

9. Patte

Ce mot *patte*, avec ses dérivés, constitue la seule exception. *Pattern* (= modèle) est un mot anglais.

10. Renne

Ce mot *renne* constitue la seule exception.

Parmi les autres exceptions à la liste des mots commençant par ab-, ad-, ag-, etc., et dont la consonne initiale n'est pas doublée (*abaisser*, *adopter*, *agréer*, etc.), signalons particulièrement :

— les mots de la famille de *abbé*, *abbaye*, etc., qui viennent, à travers le grec puis le latin ecclésiastique, du mot araméen *abba* (père).

— les mots comme *addition*, *adducteur* et leurs dérivés.

— les mots comme *agglomérer*, *agglutiner*, *aggraver*, qui sont formés d'un préfixe ad- où le D est devenu un G supplémentaire au contact du G du radical (phénomène d'assimilation).

— les mots *anneau*, *année*, *annexe*, *annihiler*, *annoncer*, *annoter*, *annuler*.

— le mot *barre* et les mots de la famille.

— le mot *battre* et ses dérivés (mais on écrira avec un seul T : *bataille*, *batailler*, *batailleur*, *bataillon*).

— *elle*, *ellébore* ; *ellipse* et ses dérivés.

— *ennemi*, *ennoblir* (prononcez : *en-noblir* et ne confondez pas avec *anoblir* : “La vertu *ennoblit* l'homme et le roi *anoblit* le roturier”).

— *inné*, *innocence*, *innocuité*, *innomé* (ou *innommé*), *innover* et leurs dérivés ; de même que les mots composés du préfixe *in-* et d'un radical commençant par N.

— *manne* et *mannequin*.

— *opportun*, *opposer*, *oppresser*, *opprimer*, *opprobre*, et leurs dérivés.

— distinguez un *panonceau* d'un *panneau*.

— *pittoresque*.

— *pollen*, *polluer* et leurs dérivés.

— *rabbin* et ses dérivés.

— *raccommoder*, *raccompagner*, *raccorder*, *raccourcir*, *raccrocher* et leurs dérivés.

— *remmailler*, *remmailloter*, *remmancher*, *remmener* et leurs dérivés.m

— *solliciter* et ses dérivés.

QUAND ELLES SONT DEUX

L'orthographe d'une langue riche et vivante comme le français n'est jamais simple. Nous venons de voir que les mots dans lesquels la consonne initiale n'est pas doublée commencent par des syllabes servant aussi à des mots dans lesquels la consonne est doublée : il n'y a pas de règle sans exception. Nous allons voir l'exemple inverse en passant en revue des syllabes où la consonne initiale est **doublée**. Prenons la syllabe *acc-*, par laquelle commencent des mots comme *accabler*, *accalmie*, *accélération*, etc. À côté de cette syllabe à deux consonnes initiales, nous trouvons une syllabe avec une seule consonne initiale comme *acabit*, *acacia*, *académicien*, etc.

Nous vous proposons dix mots offrant dix types différents de syllabes à consonne doublée. Vous devrez trouver chaque fois une exception correspondante, comme nous venons de vous le montrer à propos des syllabes initiales *acc-* et *ac-*. Ce test, comme tous les autres, se fait évidemment sans dictionnaire.

→ **Exemple de réponse** : si l'on vous propose le mot *support*, vous chercherez un mot commençant par *sup-*, mais avec un seul P et vous trouverez *suprême* que vous écrirez en face de *sup-* dans la grille des réponses.

1. *att-*: attendre.	*at-*? (1 seul T)
2. *comm-*: commerçant.	*com-*? (1 seul M)
3. *corr-*: correspondance.	*cor-*? (1 seul R)
4. *dess-*: dessert.	*des-*? (avec 1 seul S dur, prononcé : [ess-])
5. *ill-*: illustre.	*il-*? (1 seul L)

6. *imm-*: immobile. *im-*?(1 seul M)
7. *irr-*: irréfléchi. *ir-*? (1 seul R)
8 *occ-*: occident. *oc-*? (1 seul C)
9. *raff-*: raffiner. *raf-*? (1 seul F)
10. *souff-*: souffler. *souf-*? (1 seul F)

▶ Vos réponses

			Notes sur 2
1	*at-*		
2	*com-*		
3	*cor-*		
4	*des-*		
5	*il-*		
6	*im-*		
7	*ir-*		
8	*oc-*		
9	*raf-*		
10	*souf-*		
		Total sur 20	

→ Réponses p. 62

▶ Réponses en vue de l'évaluation

Les réponses valables :

1. *atavisme*, *ataxie*, *atelier*, *atermoyer*, *athée*, *atome*, *atonie*, *atour*, *atout*, *atrabilaire*, *âtre*, *atroce*, *atrophie*, et leurs dérivés.
2. *coma*, *comédie*, *comestible*, *comète*, *comice*, *comique*, *comité* et leurs dérivés.
3. *corail*, *coreligionnaire*, *coriace*, *coriandre*, *corollaire*, *corolle*, *corymbe*, *coryphée*, *coryza* et leurs dérivés.
4. *desceller*, *descendre*, *désolidariser*, *désuet* et leurs dérivés ainsi que les mots où le préfixe *des-* est suivi d'une consonne : *destituer*.
5. *iliaque*, *ilote*, *île* et ses dérivés.
6. *image*, *imiter*, et leurs dérivés.
7. *irascible*, *iris*, *ironie* et leurs dérivés.
8. *ocarina*, *océan*, *ocellé*, *ocre*, *octroi*, *oculaire* et leurs dérivés.
9. *rafale*, *rafistoler*, *rafler*, *rafraîchir* et leurs dérivés.
10. *soufre* (le corps chimique) et ses dérivés.

▶ Réponses commentées

Nous ne reviendrons pas sur les initiales en *acc-* citées en exemple, ni sur celles qui ont fait l'objet du test et pour lesquelles les réponses données ci-dessus se suffisent à elles-mêmes.

Mais nous vous signalons ici que d'autres syllabes placées au commencement des mots comportent une consonne doublée. Les voici, avec, s'il y a lieu, l'indication des exceptions.

aff- : ex. *affreux*. Exceptions : *afin*, *africain*.

all- : ex. *allocation*. Exceptions : *alambic*, *alanguir*, *alarmer*, *aléa*, *alêne*, *alentour*, etc.

app- : ex. *appeler*. Exceptions : *apache*, *apaiser*, *apanage*, etc. (les exceptions sont très nombreuses).

ass- : ex. *asseoir*. Exceptions : *ascension*, *ascenseur*, etc.

diff- : ex. *difficile*. Pas d'exceptions.

eff- : ex. *efficace*. Exceptions rares : *éfaufiler*, *éfourceau*, *éfrit*.

off- : ex. *office*. Pas d'exceptions.

rass- : ex. *rassembler*. Pas d'exceptions.

ross- : ex. *rosser*. Pas d'exceptions.

rouss- : ex. *roussir*. Pas d'exceptions.

siff- : ex. *siffler*. Pas d'exceptions.

suff- : ex. *suffir*. Pas d'exceptions.

supp- : ex. *supplanter*. Exceptions : *suprême* et les mots de sa famille, de même que les mots commençant par *super-* et *supra-*.

On n'aperçoit que d'un œil

Comment retenir quelques mots (et particulièrement des verbes) usuels qui ne prennent qu'un P ? Voici une phrase qui les renferme :

> "*Si vous apercevez des apaches apanagés qui s'apostent, il faut les apostropher, les aplatir comme on aplanit une planche, sans vous apeurer, vous apitoyer ou vous apaiser.*"

IL EN MANQUE UN MORCEAU

Souvent les initiales *prés-* et *res-* avec prononciation de S dur [ess] sont cause d'erreur. Faut-il un seul S ? deux S ? Vous allez trancher.

Vous trouverez ci-après dix mots dont il manque un morceau (le premier, vous l'avez deviné !) mais dont nous vous donnons la définition. À vous d'écrire le mot entier et sans faute, bien entendu sans consulter le dictionnaire, cela va de soi également.

→ **Par exemple**, si l'on vous proposait cette forme mutilée ... *source* et la définition : “Moyen auquel on a recours pour se tirer d'embarras”, vous sauriez retrouver la syllabe initiale RES- et vous écririez, dans la grille des réponses, le mot reconstitué *ressource*.

1. ... *salaire*: somme allouée à des stagiaires avant qu'ils n'aient entrepris un travail salarié.
2. ... *sentir*: prévoir confusément une chose.
3. ... *séance*: droit de passer avant quelqu'un dans l'ordre hiérarchique.
4. ... *supposition*: supposition préalable.
5. ... *salir*: salir de nouveau.
6. ... *saisir*: saisir de nouveau.
7 ... *sécher*: sécher de nouveau.
8. ... *souvenir* (se): se rappeler une chose dont le souvenir avait momentanément disparu.
9. ... *servir*: servir de nouveau.
10. ... *saluer*: rendre un salut.

▶ Vos réponses

	Mots reconstitués	Notes sur 2
1	présalaire	
2	ressentir ×	×
3	preséance	
4	presupposition	
5	resalir	
6	resaisir	×
7	resécher	
8	resouvenir	×
9	reservir	×
10	resaluer	
	Total sur 20	12

→ Réponses p. 66

▶ Réponses en vue d'une évaluation

1. présalaire
2. pressentir
3. préséance
4. présupposition
5. resalir
6. ressaisir
7. resécher
8. se ressouvenir
9. resservir
10. resaluer

▶ Réponses commentées

1. Présalaire

Comme le découpage du mot l'a montré, il s'agit du radical *salaire* avec une initiale en S dur, S devant lequel on a placé le préfixe *pré*, qui veut dire : avant. Ainsi s'explique qu'il ne soit pas nécessaire de doubler S pour conserver la prononciation, le radical salaire est fortement senti et suffisamment individualisé pour que le S ne puisse pas adoucir sa prononciation en Z. Il s'agit d'une formation récente quelquefois même notée : *pré-salaire*.

2. Pressentir

Le mot *pressentir* aurait pu être traité de la même façon. Mais sa formation est beaucoup plus ancienne : on en trouve la présence dans Jacques Amyot en 1559. L'habitude graphique qui a consisté à traduire le S dur par deux S n'a pas été remise en cause pour cette orthographe fixée depuis longtemps.

3. Préséance

Nous notons chez Montaigne (1580) le mot *pré-séance* sous cette orthographe. Il est possible que le S n'ait pas été doublé en raison des orthographes voisines et logiques : *malséant*, *bienséant*, *bienséance* (1539).

4. Présupposition

Des mots comme *présupposition* et *présupposé* sont anciens mais ils contiennent déjà dans le corps du mot une consonne double, et la phonétique (ensemble des lois qui régissent l'évolution d'une langue sous l'angle de sa prononciation) répugne à accumuler les consonnes doubles dans un même mot (ce qui ne veut pas dire que cela ne se produit jamais en certaines *occurrences*).

5. Resalir

Le préfixe *re-* qui indique la répétition est souvent traité comme le préfixe *pré-* (voir ci-dessus), surtout quand on fabrique avec lui des composés *nouveaux* (ce qui est très facile et très fréquent) : reconsidérer, resignaler, resigner (signer une deuxième fois), etc.

6. Ressaisir

Ressaisir est une formation ancienne (début du XIIIe siècle).

7. Resécher

Comme *resalir* : préfixe marquant la répétition. Retenez la phrase : “Comme on *resalit*, on *relave*, on *resèche* et on *repasse*.”

8. Se ressouvenir

Comme *ressaisir*, formation ancienne (1175, dans Chrestien de Troyes).

9. Resservir

Même remarque pour *resservir* : fin du XIIIe siècle, chez le poète Rutebeuf.

10. Resaluer

• D'une façon générale, retenez que **le S dur de la syllabe initiale *res-* peut être noté avec un seul S dans les mots** : *resacrer*, *resalir*, *resaluer*, *resaucer*, *resécher*, *résection*, *resiffler*, *resigner* (signer une seconde fois), *résipiscence*, *resommeiller*, *resonner* (sonner une seconde fois), *resouffler*, *resouper*, *resubdiviser*, *resucer*, *resurgir*, et leurs dérivés.

Il peut être noté SC dans : *resceller* (sceller une nouvelle fois), *rescinder*, *rescision*, *rescisoire*.

• **Il peut être noté SS dans** : *ressac*, *ressaisir*, *ressangler*, *ressasser*, *ressauter*, *ressayer*, *ressembler*, *ressemeler*, *ressemer*, *ressentir*, *resserrer*, *resservir*, *ressort*, *ressortir*, *ressouder*, *ressource*, *ressouvenir*, *ressusciter*, *ressuyer* et leurs dérivés.

VOUS AVEZ DIT PROTÉE ?

Protée était un dieu de la mythologie gréco-latine. Il avait le don de se transformer à sa fantaisie : c'est ainsi que pour échapper au roi Ménélas qui lui demandait son chemin, il se transforma successivement en lion, en serpent, en panthère, en sanglier, en eau et en arbre !

Les préfixes, dont nous allons parler, c'est-à-dire les éléments qu'on place devant le radical pour former un mot nouveau (battre → *dé-* battre) sont comme ce Protée, il leur arrive souvent de changer de forme. Mais ne vous laissez pas tromper. Il est important de les reconnaître non seulement pour comprendre le sens du mot, mais aussi pour retenir son orthographe.

Ainsi, nous allons essayer d'orthographier le préfixe *ad-*, d'origine latine, et qui signifie : *vers, en direction de, en vue de* avec l'idée d'aboutissement : *devenir* ou : *faire devenir*. Vous le placerez devant les adjectifs suivants pour créer des *verbes* (ex. : *ad-* + *plan* → *aplanir*) et vous verrez ce qu'il devient.

1. commode	6. long
2. ferme	7. nul
3. lourd	8. proche
4. grave	9. sombre
5. petit	10. ras

▶ Vos réponses

			Notes sur 2
1	rendre commode		
2	rendre ferme		
3	rendre lourd		
4	rendre grave		
5	rendre petit		
6	rendre long		
7	rendre nul		
8	rendre proche		
9	rendre sombre		
10	rendre ras		
		Total sur 20	

→ Réponses p. 72

Hippologie

▶ Voir TEST 11.

Dans un roman de Roger Vercel, *Le Capitaine Conan*, l'adjudant instructeur annonce aux élèves officiers qu'ils vont suivre un cours d'hippologie et il précise : "C'est un mot qui veut dire : science du cheval, de deux mots grecs : le mot *hippo* qui veut dire science comme dans hypothèse et le mot *logie* qui veut dire cheval comme dans maréchal des logis." Voilà un adjudant qui semble avoir été brouillé avec les racines grecques !

Vous n'auriez pas osé le contredire, mais vous auriez sûrement expliqué (en vous-même) : « Mais non, imbécile, *hippo-* vient du grec *hippos*, qui veut dire "cheval" (comme dans "hippopotame", le cheval du fleuve : *potamos* = fleuve) et *-logie* signifie "discours sur une science". »

▶ Réponses en vue de l'évaluation

1. accommoder
2. affermir
3. alourdir
4. aggraver
5. apetisser
6. allonger
7. annuler
8. approcher
9. assombrir
10. araser

▶ Réponses commentées

1. *ac- commoder* : faire qu'une chose convienne, devienne commode. Le D de *ad-* s'est assimilé au C du radical.
2. *af- fermir* : ici, notons l'assimilation au F du radical.
3. *a- lourdir* : attention ! cette fois nous n'avons plus d'assimilation, mais *disparition* du D.
4. *ag- graver* : assimilation au G du radical.
5. *a- petisser* : comme en 3, disparition du D. Vous avez eu l'occasion de vous familiariser avec le piège des mots commençant par *ap-*.
6. *al- longer* : assimilation au L du radical.
7. *an- nuler* : assimilation au N du radical.
8. *ap- procher* : assimilation au P du radical.
9. *as- sombrir* : assimilation au S du radical.
10. *a- raser* : voir 3 et 5.

Voici maintenant **les principaux préfixes latins** avec leur sens et un exemple des mots formés à partir de chacun d'eux :
— ne revenons pas sur *ad-*.

Et ajoutons :

— *a-*, *ab-*, *abs-* ; latin : *ab-*, *abs* ; marque l'éloignement ; *s'abstenir.*

— *anté-*, *anti-* ; latin : *ante* ; avant ; *antédiluvien* (qui se situe avant le déluge).

— *béné-*, *bien-* ; latin : *bene* ; bien ; *bienfaisance.*

— *bi-*, *bis-* ; latin : *bis* ; deux fois, double ; *bipède* (qui a deux pieds).

— *circon-*, *circum-* ; latin : *circum* ; autour ; *circonstance* (ce qui *se tient autour d'*un fait, ce qui l'environne).

— *cis-* ; latin : *cis* ; en deçà (du côté de celui qui parle) ; *cisalpin* (de ce côté-ci, de notre côté des Alpes).

— *co-*, *com-*, *con-* ; latin : *cum* ; avec ; *consonne* (son qui se prononce avec une voyelle).

— *contre-* ; latin : *contra* ; contre ; *contredire.*

— *dé-*, *dés-*, *dis-* ; latin ; *dis* ; priver, écarter ; *déshonorer.*

— *en-* ; latin : *inde* ; idée d'éloignement ; *enlever* (lever en éloignant).

— *en-*, *in-* ; latin : *in* ; dans ; *encadrer.*

— *entre-*, *inter-* ; latin : *inter* ; entre ; *entreposer* (poser, entre deux opérations, importation et exportation par exemple).

— *é-*, *ef-*, *ex-* ; latin : *ex* ; idée d'enlever ; *effeuiller.*

— *extra-* ; latin : *extra* ; en dehors de ; *extraordinaire.*

— *for-*, *four-* ; latin : *foris* ; en dehors de ; *se fourvoyer* (s'avancer en dehors de la bonne voie).

— *in-* (avec de multiples assimilations : *il-*, *ir-*, etc.) ; latin : *in* ; valeur de négation ; *illégal* (qui n'est pas légal).

— *infra-* ; latin : *infra* ; au-dessous ; *infrastructure.*

— *intra-*, *intro-* ; latin : *intra*, *intro* ; à l'intérieur ; *intraveineux* (à l'intérieur des veines).

— *mal-*, *mau-*, *malé-* ; latin : *male* ; idée de mal ; *maladroit.*

— *mé-*, *més-* ; latin : *minus* ; idée de chose mauvaise ; *mésaventure*.
— *outre-*, *ultra-* ; latin : *ultra* ; idée de passer au-delà de ; *outrepasser*.
— par-, *per-* ; latin : *per* ; au travers ; *parsemer*.
— *post-* ; latin : *post* ; après ; *posthume* (qui se situe après l'enterrement ; latin *humus* : terre, et *humare* : enterrer).
— *pré-* ; latin : *prae* ; avant ; *préavis*.
— *pro-*, *por-*, *pour-* ; latin : *pro* ; en avant, devant, en vue de ; *prolonger* ; retenez qu'un *portrait* est une image tracée, tirée (sens ancien de *traire*) devant le modèle (en sa présence).
— *r-*, *re-*, *ré-* ; préfixe latin *re* ; en arrière (*retourner*), en sens inverse (*réagir*), de nouveau (*rouvrir*), complètement (*remplir*).
— *retro-* ; latin : *retro* ; en arrière ; *rétrograde* (qui marche en arrière).
— *sou-*, *sous-*, *sub-* ; latin : *sub* ; au-dessous ; *sub-aquatique*.
— *su-*, *super-* ; latin : *super* ; au-dessus ; *surélévation*.
— *tra-*, *trans-*, *tré-*, *tres-* ; latin : trans ; à travers ; *translucide*.
— *vi-*, *vice-* ; latin : *vice* ; à la place de (qui remplace) ; *vicomte*.

AU JARDIN DES RACINES GRECQUES

De nombreux mots, et tout spécialement des mots savants, sont formés avec des racines grecques. Rassurez-vous, nous n'allons pas vous soumettre à un test de grec et l'exercice qui suit ne porte que sur des mots très connus.

Il s'agit de trouver les dix mots formés avec des radicaux grecs correspondant aux dix définitions ci-dessous :

1. changement de forme
2. qui laisse passer les rayons lumineux
3. a été inventé par les frères Lumière
4. son agréable
5. montre de haute précision
6. inscription sur une sépulture
7. critique de soi-même
8. produit contre l'infection
9. trouble de l'apprentissage de l'orthographe
10. moitié de sphère

Pour vous aider, voici une liste de dix mots dans lesquels figurent les racines dont vous avez besoin pour noter de bonnes réponses dans la grille ci-après :

cinématique
antidote
dialyse
dyspepsie
épigraphie
euphorie
hémiplégie
chronologie
métonymie
autobiographie

→ **Par exemple**, si vous aviez à trouver le mot correspondant à la définition suivante : “Segment de droite passant par le centre d’un cercle”, vous iriez chercher dans le mot *dialyse* donné par la liste ci-dessus le préfixe grec *dia-* et vous construiriez le mot *diamètre* à inscrire sur la grille de réponse.

▶ Vos réponses

Nº des définitions	Mots à trouver	Notes sur 2
1		
2		
3		
4		
5		
6		
7		
8		
9		
10		
	Total sur 20	

→ Réponses p. 78

▶ Réponses en vue de l'évaluation

1. métamorphose
2. diaphane
3. cinématographe (ou : cinéma)
4. euphonie
5. chronomètre
6. épitaphe
7. autocritique
8. antiseptique
9. dysorthographie
10. hémisphère

▶ Réponses commentées

1. Métamorphose

Ajouté au radical grec *morphè* (la forme), le préfixe était à tirer du mot *métonymie*, “changement de nom” ; *meta*, préposition ou adverbe grec, marque l'idée de succession et de changement. Dans un mot comme *métaphysique*, l'étude qui vient “après la physique”, c'est l'idée de succession qui est retenue ; dans les mots étudiés ici, c'est l'idée de changement.

2. Diaphane

Ajouté au radical grec *phainô* (“je fais briller”), le préfixe dia- était contenu dans le mot *dialyse*, “passage de liquides à travers certaines membranes organiques” ; ce préfixe signifie “à travers”. Il faut noter ici que l'adjectif diaphane est tiré directement de l'adjectif grec correspondant (et de même sens) : *diaphanès*. La composition était déjà réalisée dans le vocabulaire grec.

3. Cinématographe

Le premier élément, à tirer de *cinématique* (l'étude

des mobiles), vient du grec *kinèma* (génitif : *kinèmatos*), qui veut dire mouvement. La seconde racine, *graphe*, que vous trouverez notamment dans *orthographe, graphologie*, *graphite*, etc., vient du verbe grec *graphein* (“écrire”). Le cinématographe est une invention qui a permis d’“écrire”, c’est-à-dire d’enregistrer le mouvement sur une pellicule. Le mot est employé pour la première fois par L.-G. Bouly en 1892. Il sera employé par Lumière en 1895.

4. **Euphonie**
Devant le radical, emprunté au grec *phônè* (le son, la voix ; voir : *téléphone*, *magnétophone*, *phonétique*, etc.), le préfixe *eu* signifie “qui est agréable”. Il fallait le trouver dans le mot *euphorie* (état agréable).

5. **Chronomètre**
Vous avez trouvé le premier élément dans *chronologie*, “la science du temps et des dates”. Le mot grec *chronos*, qui signifie “le temps”, était aussi le nom du dieu du temps ; il ne faut pas le confondre avec Cronos, le Saturne des Latins, père de Zeus (ou Jupiter). Le deuxième élément, *-mètre*, vient du grec *metron*, qui veut dire “mesure”. C’est ce terme grec qui a donné le nom de la mesure de base de notre système métrique : *le mètre*.

6. **Épitaphe**
Le radical à deviner est venu du grec *taphos* (sépulture) et le préfixe se trouvait dans le mot *épigraphie* : étude des inscriptions qui figurent *sur* les monuments. *Epi* signifie “sur”. Retenez que le mot est un nom féminin : *une* belle épitaphe. Une américaine grava, dit-on, *cette* épitaphe sur la tombe

de son mari volage : “Harry, je sais enfin où tu as passé la nuit”.

7. **Autocritique**
Vous avez trouvé ce mot sans difficulté puisque le deuxième élément (venu du verbe grec *krinein*, qui signifie “discerner, juger”) vous était donné par la définition elle-même. Quant au premier élément, il vous est aussi familier que *l'auto* (l'automobile, “mobile par elle-même”) et vous le trouviez dans *autobiographie* (le récit de sa vie fait par soi-même).

8. **Antiseptique**
Le radical grec est *septique* = qui peut causer l'infection (attention à l'orthographe ! Ne confondez pas avec un autre mot d'origine grecque, *sceptique* : philosophe qui doute tant que sa recherche ne lui a pas donné une certitude absolue) ; le préfixe était à tirer du mot *antidote* : qui combat les effets d'un poison (du latin médiéval *antidotum*, emprunté lui-même au grec *antidoton* : donné *contre*). En effet, le préfixe *anti-*, très connu et très employé, signifie “contre”. Ne pas confondre avec le préfixe latin *anté-* ou *anti-* (avant) : *antédiluvien* (avant le déluge), *antidater* (dater d'avant le jour normal).

9. **Dysorthographie**
Puissiez-vous n'en pas souffrir ! Ce mot est formé d'un radical qu'il n'est pas besoin de commenter à votre intention. Quant au préfixe, vous l'avez tiré du mot *dyspepsie*, qui signifie “mauvaise digestion”. Si vous ignoriez jusqu'ici ce mot (et donc ce malaise !), c'est l'occasion d'ouvrir maintenant votre dictionnaire. De toute façon, nous pensons que par élimination et par déduction, vous avez

trouvé sans peine le préfixe *dys-*, qui signifie : “difficile, mauvais”. Aucune confusion n’était possible. Ce préfixe *dys-* tend à être de plus en plus employé dans le langage moderne. On n’hésite pas à parler de “dysfonctionnement” par exemple pour indiquer que quelque chose “ne marche pas”. On crée ainsi (à tort) un mot *hétéroclite*, c’est-à-dire formé d’éléments appartenant à des langues différentes : le grec et le latin. Dans ces mots à préfixe *dys-*, n’oubliez pas Y. Mais surtout ne confondez pas avec le préfixe latin *dis-* (*dé-*, *dés-*, *dis-*), qui exprime l’idée de séparation, de privation, d’écartement : *disposer* (poser en des points écartés), *disséminer* (semer en éparpillant), *dissymétrie* (ce qui est privé de symétrie). Ne confondez pas non plus avec un préfixe, *grec* celui-là, le préfixe *dis-* qui signifie “deux” : *dissyllabique* (qui comporte deux syllabes).

10. Hémisphère

Mot facile à trouver, en partant de sphère. Vous avez emprunté le préfixe à *hémiplégie* (paralysie qui frappe la moitié du corps). Quelques autres préfixes grecs sont à retenir :
a- (privatif) : *aphone* (sans voix).
ana- (changement) : *anagramme* (changement dans la disposition des lettres).
apo- (éloignement) : *apogée* (point où le soleil ou la lune se trouvent le plus loin de la terre ; fig. : point le plus haut où l’on puisse parvenir).
cata- (en bas) : *catacombes* (cavités souterraines).
hyper- (au-dessus, au plus haut point) : *hypersensible*.
para- (contre) : *parapluie*.
péri- (autour) : *périmètre*.

AVEZ-VOUS DE LA MÉMOIRE ?

Nous voici arrivés au terme du chapitre consacré aux syllabes initiales. Vous avez, en les testant, fait l'inventaire de vos connaissances dans tous les cantons de ce vaste domaine. Vous avez aussi précisé et enrichi ces connaissances.

Qu'en avez-vous retenu ?

Nous vous proposons de le mesurer avec ce test faisant intervenir des préfixes ou des consonnes (simples ou doubles) qui ferment les syllabes initiales. Vous aurez à rétablir les lettres enlevées dans les dix mots suivants, dont nous vous donnons la définition. Ces lettres (de une à quatre) sont uniformément remplacées par des points de suspension.

1. *... christ*: faux messie qui doit détruire l'œuvre du Christ, selon l'Apocalypse.
2. *a... ide*: sec et stérile.
3. *a... irail*: ensemble des objets nécessaires pour se livrer à une activité.
4. *... ptère*: qui a deux ailes.
5. *sou... let*: instrument qui sert à faire du vent pour attiser le feu.
6. *ba... age*: obstacle naturel ou artificiel pour fermer un chemin, une rue, une rivière ou l'entrée d'un port.
7. *... syllabique*: qui compte deux syllabes.
8. *... écrire*: écrire de nouveau.
9. *ra... ompagner*: reconduire quelqu'un jusqu'à son domicile.
10. *... lexie*: trouble se manifestant par une difficulté à identifier, comprendre et reproduire les mots écrits.

▶ Vos réponses

		Notes sur 2
1	…… christ	
2	a… ide	
3	a… irail	
4	… ptère	
5	sou… let	
6	ba… age	
7	… syllabique	
8	… écrire	
9	ra… ompagner	
10	… lexie	
	Total sur 20	

→ Réponses p. 84

▶ Réponses en vue de l'évaluation

1. antéchrist
2. aride
3. attirail
4. diptère
5. soufflet
6. barrage
7. dissyllabique
8. récrire
9. raccompagner
10. dyslexie

▶ Réponses commentées

1. Antéchrist

Ici le préfixe grec *anti-* = contre, opposé, a pris la forme *anté-*. Comme il a été dit à l'occasion du test précédent, ne confondez pas ce préfixe grec avec le préfixe latin *anté-* (dans *antédiluvien*) qui veut dire "avant" (avant le déluge).

2. Aride

Consonne simple ; vient du mot latin *aridus*. Au Moyen Âge existait une forme populaire : *are*.

3. Attirail

Attirail prend deux T ; vient du verbe *attirer*, venu lui-même du verbe *tirer*, précédé du préfixe *ad-* (idée de direction, de but), qui prend par assimilation la forme de la consonne du radical auquel on l'adjoint.

4. Diptère

Diptère : le préfixe grec *di* (ne pas confondre avec le préfixe latin *dis-* ou avec le préfixe grec *dys-* ; voir test 11) signifie deux. Un *diptyque* est un ensemble de deux tablettes de cire, ou un tableau ouvrant composé de deux volets. Un *distique* est un groupe de deux vers (*stichos* : vers).

5. **Soufflet**
On se souvient qu'en dehors du mot *soufre* (et les mots de sa famille), tous les mots commençant par *souf-* prennent deux F. Voir test 8.

6. **Barrage**
Le mot prend deux R en raison de l'origine du radical, le latin populaire **barra*, qu'on rapproche du gaulois **barro* (extrémité, sommet, qu'on rencontre fréquemment dans les noms de lieux). Les deux R se retrouvent dans tous les mots de la famille.

7. **Dissyllabique**
Il faut prendre garde que dans ces mots : dissyllabe, dissyllabique, le préfixe *dis-* est le préfixe grec qui signifie “deux”. Mais ici le S est doublé pour une raison de prononciation bien que l'intermédiaire latin se soit orthographié *disyllabus*. L'analyse étymologique complète du mot vous aidera à en comprendre et à en retenir l'orthographe. Le mot *syllabe* vient du grec *sullabè* (*sun-* ou *sul-*, orthographié en français *syn-*, *syl-* veut dire : ensemble ; voir test 11 ; *labè* vient du verbe *lambanein*, prendre ; *sullambanein*, c'est réunir : réunir les lettres pour en former un élément, la syllabe).

8. **Récrire**
Avec indulgence, on peut admettre que vous ayez répondu : réécrire. Mais ce mot, “récrit” d'après l'anglais (*write* et *rewrite*) (ou par contagion avec élire → réélire) est à proscrire. Il n'y a aucune rai-

son de provoquer un hiatus nouveau à l'intérieur d'un mot français parfaitement clair. Notez qu'en anglais le mot *rewrite* ne comporte pas d'hiatus.

9. Raccompagner

Raccompagner comporte 2 C comme le verbe *accompagner* où la partie *ac-* est elle-même un préfixe qui a pris cette forme par assimilation au C du radical *compagnon*, phénomène linguistique que vous connaissez.

Le préfixe *r-* (*re-*, *ré-*, *res-*) marque la répétition, la réciprocité, le retour en arrière.

10. Dyslexie

Pour le préfixe *dys-*, voir test 11 et ci-dessus n° 4 afin d'éviter la confusion avec *di-* ou *dis-*. Le radical vient du mot grec *lexis* (mot, parole) ; voir lexique, lexicologie, etc.

ÉVALUATION RÉCAPITULATIVE DU CHAPITRE II

Numéro du test		Note sur 20
7	PAS SI SIMPLE QU'ON CROIT	
8	QUAND ELLES SONT DEUX	
9	IL EN MANQUE UN MORCEAU	
10	VOUS AVEZ DIT PROTÉE ?	
11	AU JARDIN DES RACINES GRECQUES	
12	AVEZ-VOUS DE LA MÉMOIRE ?	

Total sur 120

Note sur 20 (total divisé par 6)

III

Et pour finir...

Les syllabes finales et surtout les lettres finales des mots présentent aussi des particularités avec lesquelles il faut se familiariser. Vous allez apprendre dans ce chapitre comment on peut s'y retrouver et dominer la plupart des difficultés avec quelques règles simples.

TEST **13** : *Cherchez le dérivé*

TEST **14** : *Rendons grâce au féminin*

TEST **15** : *Des émoluments au licenciement*

TEST **16** : *Vocables en té, vocables en tié*

TEST **17** : *De singuliers singuliers*

TEST **18** : *Résolument contre assidûment*

CHERCHEZ LE DÉRIVÉ

Bien souvent, le dérivé vous éclairera sur les lettres finales d'un mot. Un âne *bâté* vous apprendra qu'il porte un *bât*... avec un T à la fin du mot !

Si vous voulez distinguer une maison d'une pièce de bois, vous vous souviendrez qu'un *mas* (prononcé tantôt MA, tantôt MASS) se termine bien par un S comme *masure* ou *maison*, tandis qu'un *mât* (de cocagne) se termine par un T, que vous suggère le dérivé *mâture* (n'oubliez pas les accents circonflexes).

Les dérivés qui suivent vont vous mettre sur la voie (et vous révéler l'orthographe) des noms dont ils sont issus ou auxquels ils correspondent, que vous aurez à écrire dans les numéros correspondants de la grille ci-après.

→ **Par exemple** : *pointure* vient de *point* ; vous écrirez : *point*.

1. draper
2. bâtardise
3. flanquer
4. heurter
5. guetter
6. acquitter
7. puiser
8. seriner
9. sirupeux
10. poreux

▶ Vos réponses

		Mot correspondant	Notes sur 2
1	draper	un	
2	bâtardise	un	
3	flanquer	le	
4	heurter	un	
5	guetter	le	
6	acquitter	un	
7	puiser	un	
8	seriner	un	
9	sirupeux	le	
10	poreux	un	
		Total sur 20	

→ Réponses p. 92

▶ Réponses en vue de l'évaluation

1. drap	6. acquit
2. bâtard	7. puits
3. flanc	8. serin
4. heurt	9. sirop
5. guet	10. pore

▶ Réponses commentées

1. Drap

Du bas latin *drappus* (Ve siècle) ; mot d'origine gauloise.

Autres exemples de finales et de dérivés de son A à retenir :

— estomac, stomacal
— bas, bassesse
— amas, amasser
— embarras, embarrasser
— célibat, célibataire
— scélérat, scélératesse

2. Bâtard

L'origine de ce mot est controversée mais on retiendra que les finales *-ard* expriment souvent une idée de mépris : vantard, pillard, soûlard.

• **Mots de son AR :**

— *fard, farder*

(ici, attention : le mot *fard* est un déverbal, c'est-à-dire qu'il est formé du radical pur du verbe farder ; c'est donc le mot *fard* qui est dérivé de farder, mais cela ne change rien au procédé qui vous permet de vous rappeler sa consonne finale).

— brocard (moquerie) brocarder.

— brocart (étoffe) brocatelle (étoffe qui imite le brocart).
— une exception importante : *bazar*, *bazarder*.

3. Flanc

Ce n'est pas de ce mot que vient le verbe flancher (il vient du vieux verbe français *flanchir* = détourner, ployer). *Flanc* a donné *flanquer*.

• **Autres formations concernant le son AN :**
— trépan, trépaner
— chant, chanter
— champ, champêtre
— exempt, exemption
— encens, encenser

4. Heurt

C'est un déverbal de *heurter*. Voir ci-dessus, 2. Ne confondez pas avec *heur* (bonheur, malheur) qui donne *heureux* (malheureux). “Il a l'heur de lui plaire.”

5. Guet

Déverbal de *guetter*.
Apprenez à cette occasion la forme *guet-apens*, altération d'un plus ancien *guet apensé*, du verbe ancien *apenser* = former un projet. Un guet-apens est donc un guet (une embuscade) préparé comme un projet prémédité avec soin.

• **Exemples à noter :**
— balai, balayer
— essai, essayer
— biais, biaiser
— relais, laisser
— souhait, souhaiter
— mulet, muletier
— progrès, progression.

6. Acquit

Déverbal de *acquitter*, rendre quitte, du latin juridique médiéval *quitus* (mot encore employé : un comptable doit recevoir son *quitus*, qui garantit que ses comptes sont en règle). *Quitus* vient du latin *quietus* = en repos, tranquille (voir les mots : quiet, inquiet, quiétude, inquiétude). Attention : “par acqui*t* de conscience”.

7. Puits

N’oubliez pas le T avant le S final. Le mot vient du latin *puteus*.

• Autres exemples à retenir à propos des finales en *i* :

— débris, briser
— huis, huissier
— persil, persiller
— riz, rizière
— Attention à cette exception : *souris*, *souriceau*, *souricière*.

8. Serin

• Autres exemples avec le son IN :

— assassin, assassinat
— butin, butiner
— serein, sérénité
— rein, rénal
— bain, baignade
— dessin, dessiner ; ne pas confondre avec dessein = projet
— suzerain, suzeraineté
— essaim, essaimer
— faim, affamer
— fin, finir
— instinct, instinctif
— soutien, soutenir
— Mais *examen* (mot latin) fait *examiner*.

9. Sirop

Sirop vient du latin médiéval *sirupus* lui-même emprunté à un mot arabe qui signifie “boisson”.

• **Autres exemples avec le son O :**
— ballot, ballotter
— galop, galoper
— dos, adosser
— badaud, badauder
— maraud, marauder

10. Pore

Ouverture de la peau ; *poreux*, *porosité* vous permettent de les distinguer facilement de *port*, *portuaire*, ou de *porc*, *porcin* (de la race *porcine*).

• **Quelques autres finales identifiables par le même procédé :**
— bon, bonifier ; bond, bondir ; affront, affronter ; prompt, promptitude (dans ces deux mots le P ne se prononce pas) ; tronc, tronquer ; profond, profondeur.
— pour le mot *fonts* (les fonts baptismaux), songez à *fontaine*.
— attention à l’exception : *plafond*, *plafonner*.
— coing, cognassier ; poing, poignée ; point, pointer ; mais *soin* donne *soigner*, *témoin*, *témoigner* et *loin*, *éloigner*.
— clou, clouer ; jaloux, jalouser ; pou, épouiller ; pouls, pulsation ; coût, coûter ; coup, couper ; cou (songer à *col*).

Ne soyez pas un *butor*
et sachez que son féminin fait *butorde*

RENDONS GRÂCE AU FÉMININ

C'est en effet le féminin qui, dans le cas de nombreux adjectifs et de certains noms, va nous sauver en nous rappelant quelle est la finale du mot au masculin. Une souris *naine* nous fera reconnaître… *un* lap*in nain*, malgré l'homophonie des trois syllabes *un*, *in*, *ain*. Grâce soit donc rendue au féminin !

Voici une liste de 20 mots ou expressions au féminin. Vous devez, dans la grille ci-après, compléter l'expression au masculin correspondante.

→ **Exemple :** Nous proposons : *une couleur verte.* Vous lisez sur la grille : un sapin [............] ; vous complétez [vert] entre les crochets.

Mais méfiez-vous : dans certains éléments féminins, il y a de la traîtrise !

1. Une cité montagnarde
2. Une personne sainte
3. Une ville ceinte (entourée)
4. Une âme saine
5. Une image pieuse
6. La dauphine
7. Une maladie bénigne
8. L'assemblée dissoute
9. Une enveloppe oblongue
10. Une réponse opportune
11. Une vieille décrépite
12. Une façade crépie
13. Une union bénie
14. L'eau bénite
15. Une face camuse
16. Une distraction favorite
17. Une réponse vraie
18. Une fille laide
19. Elle se tient coite
20. Une source féconde

▶ Vos réponses

		1 point par réponse			1 point par réponse
1	un chalet [...............]		11	un vieillard [...............]	
2	un lieu [...............]		12	un mur [...............]	
3	un château [...............]		13	un jour [...............]	
4	un corps [...............]		14	le buis [...............]	
5	un livre [...............]		15	un nez [...............]	
6	le [...............]		16	un plaisir [...............]	
7	un mal [...............]		17	un fait [...............]	
8	le sucre [...............]		18	un décor [...............]	
9	un meuble [...............]		19	il se tient [...............]	
10	le temps [...............]		20	un champ [...............]	

Total sur 20

→ Réponses p. 98

▶ Réponses en vue de l'évaluation

1. Un chalet *montagnard*
2. Un lieu *saint*
3. Un château *ceint*
4. Un corps *sain*
5. Un livre *pieux*
6. Le *dauphin*
7. Un mal *bénin*
8. Le sucre *dissous*
9. Un meuble *oblong*
10. Le temps *opportun*
11. Un vieillard *décrépit*
12. Un mur *crépi*
13. Un jour *béni*
14. Le buis *bénit*
15. Un nez *camus*
16. Un plaisir *favori*
17. Un fait *vrai*
18. Un décor *laid*
19. Il se tient *coi*
20. Un champ *fécond*

Dauphin - Dauphine
(*Un peu d'histoire tout court*)

▶ **Voir TEST 13**

Le nom *dauphin*, dans ce sens, désigne, depuis le XIVe s., exactement depuis l'acquisition de la province française du Dauphiné, le fils aîné du roi de France ; c'était le nom des comtes d'Albon, issu d'un surnom, qui devint héréditaire ; ainsi attribuait-on ce nom de dignité, au Moyen Âge, en Dauphiné et en Auvergne. La dauphine était le nom donné à l'épouse du dauphin de France.

▶ Réponses commentées

1. **Montagnard**
La marque normale du féminin est le E (venu de la voyelle latine A ; voir test 4, point 8). Il suffit donc souvent de supprimer ce E pour retrouver le masculin. La lettre finale D a été entendue grâce à l'articulation du féminin, qui vous aide à la fixer dans la mémoire. Vous retiendrez ainsi un grand nombre de finales d'adjectifs : criard, hagard, pillard. D'ailleurs, la plupart des adjectifs en AR se terminent par D.

2. **Saint**
La marque du féminin est E. Voir ci-dessus. Vous ne confondrez pas avec les homophones qui suivent.

3. **Ceint**
C'est, employé comme adjectif, le participe passé du verbe *ceindre*, qui a été éliminé par son homonyme *entourer*, d'une conjugaison plus facile. Ce participe employé comme adjectif est toujours accompagné d'un complément : *ceint de toutes parts*, *ceint d'un fossé*, etc.

4. **Sain**
La forme du féminin vous a renseigné sur la nature de la syllabe qui constitue le masculin : vous retrouverez la lettre A dans le nom *santé* ou dans l'adjectif *sanitaire* (*sa-*).

5. **Pieux**
Ici, le S qui entre dans la formation du féminin correspond à un X du masculin. Ne confondez pas avec le point 15 ci-après. Tous les adjectifs en *EU* se terminent par un X au singulier : heureux, plu-

vieux, anxieux, astucieux, superstitieux, etc., à l'exception de *bleu* (qui fait au féminin bleue), de *feu* (= défunt ; au féminin : *feue* ; *la feue reine*) et de *hébreu* (qui a un féminin tout à fait différent : hébraïque).

6. Dauphin
Voir le point 1 et l'encadré p. 98.

7. Bénin
Ici le féminin était trompeur ; bénin, bénigne. Attention : ne commettez pas d'erreur sur la forme du féminin, souvent maltraitée. Cette forme du féminin, que vous retrouvez dans le nom *bénignité*, vous indique aussi que la syllabe finale du masculin est formée avec un I (voir test 1, point 5, *malin*).

8. Dissous
Ici encore, le féminin était trompeur, mais retenez le couple *dissous - dissoute*, *absous - absoute* (pardonné). Vous retrouvez le T du féminin dans les noms *dissolution*, *absolution*.

9. Oblong
Oblong = beaucoup plus long que large. Cet adjectif, comme *long*, se termine par G, que le féminin vous a fait entendre dans la syllabe *-gue*.

10. Opportun
Le féminin vous éclairait sur la nature de la syllabe, avec la présence de U.

11. Décrépit
Le féminin là encore vous a mis sur la voie. Il faut bien connaître le sens de cet adjectif, qui ne s'applique pas au champ lexical (au vocabulaire)

de la maçonnerie, mais à celui des espèces vivantes. Un être *décrépit* est une personne vieille et cassée. La *décrépitude* est un état de vieillesse extrême et se traduit par l'affaiblissement des facultés mentales. Songez au sens de ces mots et n'employez pas *décrépit* pour parler d'un mur qui a perdu son crépissage : vous direz que ce mur est *décrépi* (voir ci-après le n° 12). Et vous vous souviendrez de la fable de La Fontaine : *Le Lion, le Loup et le Renard* (VIII, 3) :

"Un lion décrépit, goutteux, n'en pouvant plus,
Voulait que l'on trouvât remède à la vieillesse."

12. Crépi

Voir ci-dessus, 11.

13. Béni - bénit

Béni ou bénit : la règle du passage du féminin au masculin s'applique ici sans mystère, mais il faut bien distinguer les emplois si vous vous servez de ces adjectifs. En fait, ce sont des participes passés du verbe *bénir* employés ici comme adjectifs. On utilise le participe *bénit* lorsqu'il s'agit de *choses* qui ont reçu la bénédiction du prêtre sous la forme prescrite par la liturgie : *le buis bénit*, *une médaille bénite*. Dans ce cas-là, on n'emploie pas l'auxiliaire avoir. On écrira donc : "Les médailles *ont été bénites* par l'évêque" (*ont été* : passé composé de l'auxiliaire être) mais "l'évêque *a béni* les médailles" (notez la forme *béni* à côté de l'auxiliaire *avoir* ; l'orthographe *bénit* serait fautive). Le participe passé *béni* est par conséquent employé dans ce cas, et dans toutes les autres acceptions du verbe, notamment en parlant des personnes : "Les fidèles *ont été bénis* par le prêtre", "Vous *êtes bénie* entre toutes les femmes", "Le printemps est une saison *bénie*", etc.

15. Camus
Voir la règle générale, n° 1.

16. Favori
Encore un piège, une ruse du féminin, qui s'amuse à prendre la forme *favorite* que rien n'annonce au masculin. Mais vous retrouvez le T dans le nom *favoritisme* et le mot *favori* vient de l'italien *favorito* : on peut donc excuser le féminin d'avoir repris... le T. Voir p. 39, où *favori* était un nom.

17. Vrai
La règle générale s'applique et nous évitera de confondre la finale de cet adjectif avec celle de l'adjectif *niais* (féminin : *niaise*).

18. Laid
Voir ci-dessus n° 17. Le féminin rappelle ici le D final.

19. Coi
Attention, piège ! L'orthographe de l'adjectif masculin ne s'éclaire pas de son féminin. Ce sont encore des mots tirés du latin *quietus* (tranquille). *Se tenir coi* c'est se tenir tranquille (afin de n'être pas remarqué).

20. Fécond
Voir la règle générale, n° 1. Le féminin vous évitera d'oublier le D final.

Homophones

Voici une phrase bien connue pour mémoriser les homophones de *saint*:

Cinq capucins, sains de corps et d'esprit, ceints de leur cordon, portaient sur leur sein le seing du Saint-Père.

Le seing = la signature.

Et voici une autre plaisanterie du même genre:

L'attaque des brigands

Il en *vint vingt*
Tous pris de *vin*.
Mais c'est en *vain*:
Zorro les *vainc*.

vint: passé du verbe venir.
vingt: le T final ne se prononce pas.
vain: le féminin est *vaine*.
vainc: 3e pers. du sing. du présent de l'indicatif du verbe *vaincre* (je vaincs, tu vaincs, il vainc, nous vainquons, vous vainquez, ils vainquent).

Amusez-vous à chercher vous aussi des homophonies drolatiques.

DES ÉMOLUMENTS AU LICENCIEMENT

Vous savez distinguer un mot comme *goulûment*, adverbe de manière formé sur l'adjectif *goulu*, d'un mot comme *émolument*, qui est un nom formé avec le suffixe *-ment*, venu du latin *-mentum*. Ce suffixe *-ment*, dans la composition d'un nom, exprime en français (comme *-mentum* en latin) soit l'action : *enlèvement* = action d'*enlever*, soit le résultat de l'action : *ameublement* = ensemble d'objets meublant une pièce.

Nous parlerons des adverbes à propos du test nº 18. Pour ce test nº 15, nous nous en tiendrons aux noms. Ces noms en *-ment*, qu'ils expriment une action ou son résultat, dérivent nécessairement d'un verbe, puisque l'action c'est d'abord le verbe : *enlever*, *meubler*.

Vous allez donc inscrire dans la grille ci-après les noms en *-ment* qui correspondent aux 10 verbes présentés. Mais attention ! Certains noms comportent un E avant la finale *-ment*, d'autres pas. Comparez *émoluments* et *licenciement*. Ne vous trompez pas !

→ **Exemple** : à côté du verbe *fonder*, vous écrirez sur la grille, dans la case correspondante : *fondement*.

▶ Vos réponses

	Verbes de base	Nom correspondant	Notes sur 2
1	remercier		
2	tutoyer		
3	se dévouer		
4	s'engouer		
5	arguer		
6	éternuer		
7	se rallier		
8	fournir		
9	se déployer		
10	châtier		
		Total sur 20	

→ Réponses p. 106

▶ Réponses en vue de l'évaluation

1. remerciement
2. tutoiement
3. dévouement
4. engouement
5. argument
6. éternuement
7. ralliement
8. fourniment
9. déploiement
10. châtiment

▶ Réponses commentées

1. Remerciement
Tous les noms formés sur un verbe en *-er* prennent E avant la finale *-ment* : licencier → licenciement, manier → maniement, rallier → ralliement, remercier → remerciement.
Une seule exception : *châtier* fait *châtiment*.
Dans quelques-uns de ces noms, on peut remplacer le E par un accent circonflexe sur I : remerciement, remercîment. (Les deux orthographes sont admises mais la forme "remerciement" est la plus courante.)

2. Tutoiement
La finale s'écrit toujours *-oiement*. Déploiement, rougeoiement (ne pas oublier le E du radical !), etc.

3. Dévouement
La finale comporte toujours le E : dénouement, dévouement, engouement, enjouement, enrouement, etc.

4. Engouement
Voir ci-dessus, n° 3.

5. **Argument**
   Le verbe *arguer* (prononciation en trois syllabes : AR-GU-ER) donne le nom *argument*. D'autres noms sont ainsi formés avec une finale sans E : vous connaissez le nom *émolument* ; ajoutez : document, instrument, jument, monument, tégument.

6. **Éternuement**
   Sont ainsi formés (avec présence du E) : dénuement (du verbe *dénuer*), engluement (du verbe *engluer*), remuement (du verbe *remuer*). Ces mots peuvent aussi remplacer le E par un accent circonflexe sur U : dénûment. (Forme correcte mais plus rare.)

7. **Ralliement**
   Voir point 1.

8. **Fourniment**
   Du verbe *fournir*, désigne tout l'équipement qui est *fourni* à un soldat. De même le verbe *blanchir* a donné *blanchiment*, qui désigne l'action de rendre blanches diverses substances telles que les textiles ou la pâte à papier. Le nom *blanchiment* ne doit pas être confondu pour le sens avec les autres noms dérivés du verbe *blanchir* :

   blanchissage : action de nettoyer le linge, de le rendre propre au moyen de savons ou de détersifs.

   blanchissement : mot du vocabulaire journalistique et politique employé dans des expressions comme “le blanchissement de l'argent sale” pour désigner les combinaisons financières frauduleuses par lesquelles de l'argent mal acquis entre dans le circuit commercial banalisé.

9. Déploiement
Voir point 2.

10. Châtiment
Nous avons vu que tous les verbes en *-er* donnaient un nom dérivé en *-ement* sauf *châtier* → *châtiment*.

On s'en souviendra en songeant au livre célèbre du poète Victor Hugo : *Les Châtiments* ; et on n'oubliera pas l'accent circonflexe, mais cette fois sur le A du radical, parce que ce radical vient de l'ancienne forme *chastier*. L'accent circonflexe rappelle le S disparu : allongement de la prononciation du A.

VOCABLES EN *-TÉ*
VOCABLES EN *-TIÉ*

Dans notre chapitre des finales, nous allons aborder d'autres mystères. Les mots que nous vous ferons rencontrer sont-ils *hantés* ? Nous vous les présentons en tout cas sans qu'ils soient *entiers*. Vous leur redonnerez leur forme, sachant que la finale qui leur manque est en *-té* ou en *-tié*, avec les variantes orthographiques suivantes : *-té*, *-tée*, *-ter*, *-tés*, *-tez*, *-tié*, *-tier*, *-tiers*, *-tiez*. Vos réponses (les mots écrits en entier) figureront sur la grille ci-après, dans la case correspondant au numéro adjoint à chaque mot. Attention, il y a quelque part des pièges… que vous déjouerez, naturellement !

Le manoir han… (1)

Mon amie nous avait invi… (2) à découvrir ce coin perdu de la lande bretonne. Quand nous eûmes parcouru avec difficul… (3) un chemin envahi par les genêts, nous fûmes arrê… (4) par la vue d'une demeure inhabi… (5) ; c'était un château démoli à moi… (6) et même aux deux … (7) ; ses murs effondrés par pans en… (8) semblaient avoir subi de toute éterni… (9) les pires calami… (10). Des brouet… (11) de gravats inspiraient plutôt la pi… (12) que le désir de visi… (13). Nous pénétrâmes cependant avec l'air d'autori… (14) des gens ini… (15) aux mystères de ce lieu lorsqu'une voix sembla sortir des ruines : “Par… (16) d'ici avant que vous ne regret… (17) votre ingénui… (18).” Sans nous concer… (19) nous prîmes la fuite avec véloci… (20).

▶ Vos réponses

Les réponses ne sont valables que si elles ne comportent aucune erreur.

		1 point par réponse
1	han [............]	
2	invi [............]	
3	difficul [............]	
4	arrê [............]	
5	inhabi [............]	
6	moi [............]	
7	deux [............]	
8	en [............]	
9	éterni [............]	
10	calami [............]	

→ Réponses p. 111

		1 point par réponse
11	brouet [............]	
12	pi [............]	
13	visi [............]	
14	autori [............]	
15	ini [............]	
16	Par [............]	
17	regret [............]	
18	ingénui [............]	
19	concer [............]	
20	véloci [..........]	

Total sur 20 [ ]

→ Réponses p. 111

▶ Réponses en vue de l'évaluation

1. han*té*
2. invi*tés*
3. difficul*té*
4. arrê*tés*
5. inhabi*tée*
6. moi*tié*
7. deux *tiers*
8. en*tiers*
9. éterni*té*
10. calami*tés*
11. brouet*tées*
12. pi*tié*
13. visi*ter*
14. autori*té*
15. ini*tiés*
16. par*tez*
17. regret*tiez*
18. ingénui*té*
19. concer*ter*
20. véloci*té*

Voici le texte rectifié :

Le manoir han*té* (1)

Mon amie nous avait invi*tés* (2) à découvrir ce coin perdu de la lande bretonne. Quand nous eûmes parcouru avec difficul*té* (3) un chemin envahi par les genêts, nous fûmes arrê*tés* (4) par la vue d'une demeure inhabi*tée* (5) ; c'était un château démoli à moi*tié* (6) et même aux deux *tiers* (7) ; ses murs effondrés par pans en*tiers* (8) semblaient avoir subi de toute éterni*té* (9) les pires calami*tés* (10). Des brouet*tées* (11) de gravats inspiraient plutôt la pi*tié* (12) que le désir de visi*ter* (13). Nous pénétrâmes cependant avec l'air d'autori*té* (14) des gens ini*tiés* (15) aux mystères de ce lieu lorsqu'une voix sembla sortir des ruines : "Par*tez* (16) d'ici avant que vous ne regret*tiez* (17) votre ingénui*té* (18)." Sans nous concer*ter* (19) nous prîmes la fuite avec véloci*té* (20).

▶ Réponses commentées

1. **Hanté**
   Hanté est un participe employé comme adjectif qui ne pose aucun problème d'orthographe d'usage ou d'accord.

2. **Invités**
   Il ne fallait évidemment pas oublier ici la règle de l'accord du participe passé employé avec avoir ; *invités* s'accorde avec le C.O.D. *nous*, placé avant (et pas avec le sujet !). Nous vous rappelons que si vous avez fait une erreur de ce genre, la réponse est fausse.

3. **Difficulté**
   C'est précisément ce genre de… difficulté que nous voulons vous faire identifier avec ce petit texte. Notez que les noms *féminins* en *-té* ou *-tié* indiquant une qualité n'ajoutent pas de e. Exemples :

amitié	absurdité
inimitié	activité
moitié	adversité
pitié	agilité
	amabilité
	antiquité
	autorité
	bonté
	difficulté
	fidélité
	loyauté
	sûreté
	vanité, etc.

mais vous écrirez : la *pâtée* du chien et le *pâté* en croûte.

4. **Arrêtés**
Participe passé employé dans une forme passive. Il s'accorde avec le sujet.

5. **Inhabitée**
Voir point 1. L'accord se fait ici naturellement au féminin.

6. **Moitié**
Voir les exemples cités en 3.

7. **Deux tiers**
Voilà un des pièges. La prononciation du mot *tiers* est évidemment différente de celle de la syllabe *-tiers* dans le mot *entiers* (voir 8). Ces prononciations différentes de syllabes identiques vous sont familières. Vous connaissez des phrases comme : Les poules du *couvent couvent* ou : Nos *fils* ont arraché les *fils* de leurs boutons. On dit que ces mots sont **homographes** (ils s'écrivent avec les mêmes lettres) mais ils ne sont pas homophones (ils ne sont pas rendus par les mêmes sons). Inversement, vous connaissez des mots homophones qui ne sont pas homographes : le *thé* de Chine et le *té* à dessin. Et vous avez ici l'occasion de constater que beaucoup de finales sont homophones sans être homographes.

8. **Entiers**
Voir ci-dessus. Le S du mot *tiers* (qui n'est pas prononcé) est étymologique (il tient à l'origine latine du mot : *tertium*, de *tertius* où le *-ti* a donné

le son S encore entendu dans tiers état, une tierce personne) tandis que le S de *entiers* est la marque du pluriel (un mur entier ; une galette entière ; des murs entiers ; des galettes entières).

9. Éternité
Voir 3.

10. Calamités
Voir 3. Bien entendu, les noms de qualité en -*té* ou en -*tié* prennent la marque du pluriel — quand le sens permet l'emploi du mot au pluriel. Par exemple, si un mot comme *loyauté* ne s'emploie pratiquement pas au pluriel, nous disons couramment : des amitiés ("Faites-lui mes amitiés"), des inimitiés, des moitiés (de pomme), des pitiés ("Il est vrai que ce sont des pitiés…", Molière), des absurdités, des activités, des bontés ("Il a des bontés pour moi"), etc.

11. Brouettées
Attention à la finale -*ée* qui indique un contenu : une *cuillerée*. Ici, lorsque le radical se termine par T — *brouet-* (de *brouette*) —, le nom se termine par -*tée* : *brouettée* ; voyez aussi : *fourchetée*, mais retenez que ce deuxième nom ne prend qu'un T. La différence est sentie dans l'orthographe *et dans la prononciation*, bien que *fourchetée* passe pour venir du mot *fourchette* (fourchetée = contenu d'une fourchette). Cela tient sans doute à la contamination avec le mot *fourche*. Vous retiendrez aussi que *charrette*, malgré ses deux T, donne : une *charretée*, comme on dit aussi : un *charretier*. Vous avez là une *charretée* de *difficultés*.

12. Pitié
Voir 3.

13. Visiter
Verbe à l'infinitif.

14. Autorité
Voir 3.

15. Initiés
Participe passé employé comme adjectif ; il peut aussi s'employer comme nom ; il s'accorde, naturellement. Mais notez encore l'homographie non homophonique entre la syllabe finale d'un mot comme les *initiés* et celle d'un mot comme les *amitiés*.

16. Partez
Encore une homophonie avec la syllabe *-té* mais aucune confusion n'est possible avec cette deuxième personne du pluriel de l'impératif présent.

17. Regrettiez
Exemple d'homophonie avec une finale comme *-tié* de *pitié*. Vous avez évidemment reconnu (et employé) le présent du subjonctif, imposé par la locution conjonctive *avant que*. L'indicatif serait une **très grave erreur**.

18. Ingénuité
Les noms en *-uité* dérivés d'adjectifs en *-u* s'écrivent avec un *-i* : continuité, incongruité, ingénuité, superfluité et ténuité, sauf ceux qui sont dérivés d'un adjectif en *-gu*, qui donnent un *-i avec tréma* : ambiguïté, contiguïté, exiguïté, sans

quoi la prononciation ne distinguerait pas le U et le I. Vous vous souvenez que le tréma est là pour indiquer que **la lettre qui le précède est prononcée à part**.

19. Concerter
Infinitif. Aucune difficulté.

20. Vélocité
Voir 3.

DE SINGULIERS SINGULIERS

Certains noms, au singulier, ont des lettres finales qui les feraient prendre pour des pluriels : disons simplement qu'ils se terminent par S. Vous allez essayer de ne pas vous tromper sur les noms usuels du petit texte suivant. Écrivez-les **au singulier** dans le tableau-réponse qui suit (nous avons donné à chacun un numéro). Chaque erreur d'orthographe vous fera perdre un point.

Les frimas (1) qui ont gelé les bords (2) de nos puits (3) et recouvert de burnous (4) blancs les talus (5) du jardin, tuant tout sauf mes lilas (6) et des tribus (7) d'acacias (8), me laissent autant de remords (9) que de soucis (10). J'aurais dû trouver des abris (11) au moins pour mes camélias (12) dans l'un des appentis (13) encombrés d'établis (14) inemployés, legs (15) inutiles de mon ancêtre menuisier. Mais les défis (16) de l'hiver sont bien plus pénibles pour les exclus (17) qui vivent dans des taudis (18) et ne reçoivent même pas les colis (19) et les mets (20) que la charité publique devrait leur dispenser.

▶ Vos réponses

	Noms au pluriel dans le texte	Écrire les noms au singulier	1 point par réponse		Noms au pluriel dans le texte	Écrire les noms au singulier	1 point par réponse
1	frimas			11	abris		
2	bords			12	camélias		
3	puits			13	appentis		
4	burnous			14	établis		
5	talus			15	legs		
6	lilas			16	défis		
7	tribus			17	exclus		
8	acacias			18	taudis		
9	remords			19	colis		
10	soucis			20	mets		
						Total sur 20	

→ Réponses p. 120

▶ Réponses en vue de l'évaluation

1. le frimas
2. le bord
3. le puits
4. le burnous
5. le talus
6. le lilas
7. la tribu
8. l'acacia
9. le remords
10. le souci
11. l'abri
12. le camélia
13. l'appentis
14. l'établi
15. le legs
16. le défi
17. l'exclu
18. le taudis
19. le colis
20. le mets

▶ Réponses commentées

1. Frimas
L'usage a consacré le S final de ce mot introduit par Villon et qui est de la même famille que *frime* (fém.) = la mine (l'air du visage). Le frimas désigne le brouillard froid qui se dépose et se congèle et, poétiquement, l'hiver.

2. Bord
Un moyen commode de mémoriser la lettre finale d'un mot est de songer à un dérivé : *bordure*.

3. Puits
On retrouve au singulier de ce nom le S qui vient de la terminaison latine (*puteus*). Pour vous souvenir de ce S, songez à *puisard*, *puisatier*, *puiser*.

4. Burnous
Le nom (comme la chose) est d'origine arabe. On le trouve écrit *barnusse*, en 1556, dans un livre intitulé *Description de l'Afrique*, et aussi *barnous* ; Balzac a écrit *burnou* : si vous avez fait une faute, vous êtes en bonne compagnie.

5. Talus
Voilà une orthographe aberrante (il en existe !),

d'autant que le mot a donné le verbe *taluter* (mettre en talus) ; cette fois, ne vous fiez pas au dérivé.

6. Lilas
C'est le seul nom de fleur en *-as*. Les autres s'écrivent avec *a* : acacia, bégonia, camélia, etc.

7. Tribu
Ne confondez pas l'orthographe de ce mot féminin avec le nom masculin le *tribut*, “redevance qu'un vaincu paie à son vainqueur ou un vassal à son suzerain” (et qui a donné l'adjectif *tributaire*) ; ne confondez pas non plus, par homophonie (prononciation semblable), la *tribu* et *l'attribut* (du sujet).

8. Acacia
Voir ci-dessus n° 6.

9. Remords
Il a été écrit autrefois *remors* et c'est à l'origine le participe passé du verbe *remordre*, ce qui explique peut-être le S car le participe passé passif latin du verbe *mordere* (= mordre) s'écrivait *morsus* (*morsum* à l'accusatif; songez à *morsure*) : le S qui a été retenu n'est pas le S final du mot latin *morsus* mais celui qui est dans le corps du mot.

10. Souci
Appliquez ici encore la règle des dérivés et songez à *se soucier*, *soucieux*, pour retenir qu'il n'y a pas de lettre après le *-i*.

11. Abri
Méfiez-vous du verbe *abriter*, mot de la famille,

et retenez la formule : “Je dois m’abriter dans un abri sans té pour ma santé.”

12. Camélia
Voir ci-dessus 6 et 8.

13. Appentis
Encore un mot qui vient d’un participe passé ancien et qui garde un S.

14. Établi
Le nom vient du participe passé du verbe *établir* ; songez au féminin de ce participe : *établi*, *établie*, malgré le nom *établissement*.

15. Legs
Ce nom appartient au vocabulaire juridique qui, vous le savez, conserve volontiers les formes archaïques, de même que la syntaxe de la langue juridique privilégie des tournures désuètes. Nous avons affaire à une variante orthographique du participe passé du verbe *laisser* qu’on trouvait sous les formes anciennes *lais* (songez à *relais*, de *relaisser*) et *legs*, variante due à la forme du participe latin *legatum* qui commence par *leg-*. Le S signale une forme au participe que la forme *leg ne suffirait pas à caractériser.

16. Défi
C’est une forme déverbale, c’est-à-dire un substantif tiré du radical du verbe, ici du verbe *défier*, “enlever la foi ou renoncer à la foi jurée”, autrement dit : “provoquer”. Rapprocher les mots de la famille : *fiable*, *méfiant*, etc.

17. Exclu
Ce nom est la transformation en substantif (voir

ci-dessus la formation d'un déverbal) du participe passé du verbe *exclure*. Or il faut savoir que *exclure* et *conclure* font au participe passé *exclu*, *exclue* et *conclu*, *conclue*, bien qu'on ait les substantifs l'*exclusion*, la *conclusion*. En revanche le participe passé d'*inclure* prend un S : *inclus*, *incluse*. Retenez la formule : "Le S est inclus dans inclus, il est exclu d'exclu."

18. Taudis

Encore un déverbal, une forme tirée d'un ancien verbe : *se tauder* (= se mettre à l'abri). Voir les remarques sur les formes de participe en 9, 13 et 15.

19. Colis

Le S n'a pas de justification particulière puisque le mot vient de l'italien *colli*, pluriel de *collo*, le cou, et signifie donc : "bagage(s) porté(s) sur le cou". Est-ce l'idée de pluriel venue de la forme italienne *colli* qui a suggéré ce S ? On trouve dans Savary (1723) une variante : *coli*. Retenez seulement que nous sommes, avec *colis*, en face d'une forme arbitraire mais "incontournable" de l'orthographe d'usage.

20. Mets

Vous êtes maintenant familiarisé avec ces formes déverbales venues d'un participe. Voir 9, 13, 15, 18. Ici la forme vient du verbe *mettre* (latin *mittere*, participe passé : *missus* ; les envoyés du seigneur, de l'empereur, au temps de Charlemagne, s'appelaient *missi dominici*). Dans le latin populaire, *missum* (forme neutre) désignait "ce qu'on a *mis* sur la table". Vous retrouvez le T du radical *mettre* et le S emprunté au double S de la forme participe.

RÉSOLUMENT CONTRE ASSIDÛMENT

Les finales d'adverbes sont parfois déroutantes. Ainsi les adverbes dont la finale est en *-ument* ont tantôt un accent circonflexe sur le U, tantôt pas d'accent.

Une personne fort jolie mais quelque peu "bêcheuse" jugea bon de remettre en place un soupirant trop enflammé en lui envoyant la lettre que vous allez lire. Mais, à la dernière minute, comme elle hésitait sur l'orthographe des nombreux adverbes dont elle voulait accabler le galant, elle sauta les mots, se contentant d'indiquer entre parenthèses l'adjectif correspondant. Elle compte sur vous pour lui donner la forme correcte de l'adverbe. Elle ne mériterait pas qu'on l'aide. Essayez quand même.

Si elle a écrit : "Vous m'avez adressé (ambigu) des propos à double sens", vous lui indiquerez, **sans faire de faute**, dans la case correspondante de la grille : ambigument.

Monsieur,

Je suis (absolu) opposée à l'idée de poursuivre avec vous la correspondance dont vous m'accablez (assidu) depuis quelques jours. Vous avez (incongru) téléphoné à mon domicile, ce qui m'a (fichu) embarrassée devant mes parents. Ils m'ont dit (cru) que je n'avais pas de temps à perdre en amourettes. Ils m'adressaient (indu) ce reproche car je me moque (éperdu) de vos états d'âme. Aussi je ne tiens pas à être (continu) importunée par un soupirant qui prétend me désirer (goulu).

Croyez, Monsieur, à mes sentiments (résolu) indifférents.

Nana

▶ Vos réponses

	Adjectif	Adverbe correspondant	Notes sur 2
1	absolu		
2	assidu		
3	incongru		
4	fichu		
5	cru		
6	indu		
7	éperdu		
8	continu		
9	goulu		
10	résolu		
		Total sur 20	

→ Réponses p. 126

▶ Réponses en vue de l'évaluation

1. absolument
2. assidûment
3. incongrûment
4. fichûment
5. crûment
6. indûment
7. éperdument
8. continûment
9. goulûment
10. résolument

Voici la lettre de Nana, correctement écrite cette fois :

Monsieur,

Je suis *absolument* (1) opposée à l'idée de poursuivre avec vous la correspondance dont vous m'accablez *assidûment* (2) depuis quelques jours. Vous avez téléphoné *incongrûment* (3) à mon domicile, ce qui m'a *fichûment* (4) embarrassée devant mes parents. Ils m'ont dit *crûment* (5) que je n'avais pas de temps à perdre en amourettes. Ils m'adressaient *indûment* (6) ce reproche car je me moque *éperdument* (7) de vos états d'âme. Aussi je ne tiens pas à être *continûment* (8) importunée par un soupirant qui prétend me désirer *goulûment* (9).

Croyez, Monsieur, à mes sentiments *résolument* (10) indifférents.

Nana

▶ Réponses commentées

1. Absolument

En principe, les adverbes de manière se forment en partant de la forme du féminin des adjectifs :

petit → petite → petitement,
pieux → pieuse → pieusement,
fier → fière → fièrement.

Mais les adjectifs terminés au masculin par une voyelle perdent le E du féminin devant le suffixe *-ment* : absolu → absolue → absolument.

2. Assidûment

Certains adverbes rappellent cependant ce E sous la forme de l'accent circonflexe. Ainsi, vous avez trouvé dans le texte de la lettre : assidûment (2), incongrûment (3), fichûment (4), crûment (5), indûment (6), continûment (8), goulûment (9) ; avec congrûment et dûment, ce sont les seules exceptions pour les adverbes venant d'adjectifs terminés au masculin par U et au féminin par UE.

3. Incongrûment

Avec l'accent circonflexe qui rappelle le E du féminin. Vient de l'adjectif *incongru*, *incongrue*, signifiant “qui n'est pas convenable, compte tenu des personnes ou des circonstances”.

Il existe naturellement un adverbe *congrûment* qui signifie : d'une manière qui convient. Vous connaissez aussi, probablement, l'expression “portion congrue” (la part de revenu qui était laissée aux membres du bas clergé avant la Révolution). Cette expression ne signifiait pas : “portion réduite” mais : “rétribution convenable” (convenable, évidemment, aux yeux de ceux qui l'accordaient, mais pas forcément satisfaisante pour ceux qui la recevaient !).

4. Fichûment
Le sens de cet adverbe est très clair (comme celui de l'adjectif dont il dérive). Mais il est du langage vulgaire.

5. Crûment
Vient de l'adjectif *cru* et non pas du participe passé *cru* du verbe *croire*.

6. Indûment
L'adjectif *indu*, qui a donné cet adverbe, est la forme négative du participe passé *dû*, féminin *due* (attention à ces formes), appartenant au verbe *devoir*.

7. Éperdument
Vient de *éperdu*, participe passé de l'ancien verbe français *éperdre* = perdre complètement. Ne confondez pas avec le verbe précédent !

8. Continûment
Rien de particulier ne justifie cet accent, comme dans le cas de la plupart des autres exceptions. C'est une fantaisie à retenir.

9. Goulûment
Vient de l'adjectif *goulu*, *goulue*, de la famille de *gueule*, ce qui est assez explicite.

10. Résolument
Voir point 1. Profitons-en pour ajouter quelques remarques sur les adverbes.

Avec l'adjectif *gai*, *gaie*, on forme l'adverbe

gaiement mais avec l'adjectif *vrai*, *vraie*, on forme l'adverbe *vraiment*, conformément à la règle exposée plus haut (point 1).

Vous ferez également attention au fait que les adverbes en *-ellement* s'écrivent toujours avec *-elle-* : journellement, textuellement, selon la règle : textuel (M) → textuelle (F) → textuellement. *Fidèle* et *parallèle* donnent respectivement *fidèlement* et *parallèlement*, ce qui est normal puisque, dans les deux cas, le féminin est semblable au masculin (*fidèle*, *parallèle* pour les deux genres).

L'origine des adverbes en *-ment*

Ils correspondent à un complément de manière accompagné d'un adjectif qualificatif. Pour dire par exemple en latin : "de manière dévote, avec un esprit dévot", on écrivait *devota mente*, où *mente* est la forme du nom féminin *mens* (esprit) à l'ablatif (cas du complément de manière en latin), ce qui a donné la forme française *dévotement*. Le A s'affaiblit en E et le E final tombe. D'où la terminaison *-ment* qui rappelle dans tous les adverbes de ce type (manière) le mot *mens* (génitif : *mentis* ; ablatif : *mente*) et le fait que l'adverbe se forme en général sur le féminin de l'adjectif.

ÉVALUATION RÉCAPITULATIVE DU CHAPITRE III

Numéro du test		Note sur 20
13	CHERCHEZ LE DÉRIVÉ	
14	RENDONS GRÂCE AU FÉMININ	
15	DES ÉMOLUMENTS AU LICENCIEMENT	
16	VOCABLES EN -TÉ, VOCABLES EN -TIÉ	
17	DE SINGULIERS SINGULIERS	
18	RÉSOLUMENT CONTRE ASSIDÛMENT	
	Total sur 120	
	Note sur 20 (total divisé par 6)	

IV

Que de maux avec les mots !

Quand on connaît le commencement des mots et leur terminaison, on a déjà fait le tour de bien des difficultés. Mais on n'a pas épuisé tous les *maux*... de tête que causent les *mots*. La première de ces difficultés, qui provoque de fréquentes erreurs, tient au fait que des mots (des expressions aussi) parfois très différents sont traduits par le même son. Vous en avez un exemple par la phrase précédente où se trouvent la forme *sont* (3e personne du pluriel du verbe *être* au présent de l'indicatif) et la forme *son* (nom masculin singulier). Vous pourriez ajouter *son* : l'adjectif possessif de la troisième personne au masculin singulier. Nous allons donc ouvrir ce chapitre avec des tests sur l'*homophonie*, dont vous avez déjà rencontré plusieurs esemples... et poursuivre notre chemin à travers d'autres curiosités.

HOMOPHONIE, HOMOPHONIE !

L'homophonie, c'est donc le fait que des mots différents par le sens ou par l'orthographe (ou par l'un et l'autre) ont la même prononciation. Nous avons cité : *sont* et *son*.

Dans le petit texte qui suit, il manque dix mots ou expressions. À vous de les choisir sans vous tromper dans la liste qui l'accompagne. Vous écrirez les dix mots ou expressions, dans l'ordre des blancs laissés au sein du texte, dans la grille qui suit.

Bien entendu, nous vous proposons plusieurs mots homophones : ne vous laissez pas tromper.

Un noble prétentieux

Il est ... (1) avoir des ancêtres illustres. Il possède un petit ... (2) de terres : ... bien (3) ! il l'appelle pompeusement ... (4) domaines. Il se dit sportif : le professeur qui lui donne son ... (5) de tennis vient encore de le féliciter. Il va organiser une chasse à ... (6) avec un festin à la ... (7). ... (8) dites-vous ? On ... (9) a jamais ... (10) pareil vantard.

*
* *

1. censé, sensé.
2. fond, fonds, font, fonts.
3. ai, aie, eh, est, et, haie.
4. c'est, ces, sais, ses.
5, 6. cour, courre, cours, court.
7. claie, clé.
8. camp, khan, qu'en, quand, quant.
9. n'?
10. oui, ouï, ouïe.

▶ Vos réponses

		Notes sur 2
1		
2		
3		
4		
5		
6		
7		
8		
9		
10		
	Total sur 20	

→ Réponses p.134

Réponses en vue de l'évaluation

1. censé
2. fonds
3. eh
4. ses
5. cours
6. courre
7. clé
8. qu'en
9. n'
10. ouï

Voici le texte rétabli :

Un noble prétentieux

Il est *censé* (1) avoir des ancêtres illustres. Il possède un petit *fonds* (2) de terres : *eh* (3) bien ! il l'appelle pompeusement *ses* (4) domaines. Il se dit sportif : le professeur qui lui donne son *cours* (5) de tennis vient encore de le féliciter. Il va organiser une chasse à *courre* (6) avec un festin à la *clé* (7). *Qu'en* (8) dites-vous ? On *n'* (9) a jamais *ouï* (10) pareil vantard.

Réponses commentées

1. Censé

Censé est le participe passé de l'ancien verbe *censer*, du latin *censeo* (infinitif *censere*) = *j'estime*, *je juge*, avec le C que vous retrouvez dans les mots de la famille comme *cens* = dénombrement des citoyens romains (estimation de leur nombre et de leurs fortune), redevance payée à un seigneur (au Moyen Âge) ; *cens électoral* = quotité d'impôt exigée pour être électeur ou éligible selon certaines constitutions ; *censeur* = magistrat de l'ancienne

Rome, personne chargée de la *censure*, etc. ; ne confondez pas avec *sensé* (qui a du bon *sens*) : ce serait *insensé* ! car ce mot vient d'un autre verbe latin, *sentio* (infinitif *sentire*), percevoir par le *sens*, puis par l'intelligence, d'où, également, le sens de *juger*.

2. **Fonds**
Au singulier, vous constatez que ce nom se termine par S. Ne le confondez pas avec le mot *fond*, qui désigne le *fond* d'un objet (ou le *fond* d'un raisonnement, par opposition à la *forme*). Cependant les deux mots viennent du même mot latin *fondus*. On a adopté deux graphies différentes pour distinguer le "fond d'un objet" (*fond*) et le "fonds de terre" (*fonds*). Faites attention aux mots de la famille. Le *fonds* de terre a donné l'impôt *foncier* ; une ancienne forme de *fonds*, la forme *fons* (usitée au Moyen Âge), a donné l'expression juridique *cens fonsier*. Si vous considérez encore l'adverbe *foncièrement*, vous voyez que cette famille de mots est une… famille à histoires. Vous avez identifié sans peine d'autres formes proposées (pour les écarter). Vous avez reconnu dans *fonts* (les fonts baptismaux) une forme appartenant à la famille du mot *fontaine* (latin *fons*, source, fontaine, qui fait au pluriel : *fontes*), et dans *font* la 3e p. du pluriel du verbe *faire* au présent de l'indicatif.

3. **Eh**
C'est une faute fréquente et inadmissible de confondre cette *interjection* (marquant la surprise, l'admiration, etc.) avec *la conjonction* de coordination *et* ; vous écrirez donc : "*et*, bien qu'il ne possède qu'un petit fonds,…" mais : "*eh* bien ! il ne possède qu'un petit fonds…" Les autres formes

proposées étaient faciles à identifier (et à écarter) : *ai* (indicatif), *aie* (subjonctif : que j'aie) du verbe *avoir*, *est* (verbe *être*) ou *la haie*.

4. Ses

Adjectif possessif de la 3e personne du singulier ; se rapporte à *domaines*, masculin pluriel. Attention à la confusion possible avec l'adjectif démonstratif *ces*. Les autres homophones : *c'est* (pronom élidé + verbe *être*) ou *sait* (il *sait* : verbe *savoir*) ne risquent pas de vous inciter à la confusion.

5. Cours

Il ne pouvait s'agir que d'un *cours* (d'une leçon) puisqu'il était question du professeur qui donne un *cours*, bien qu'il donne ce *cours* sur le *court* de tennis ; ce dernier terme, *court*, importé en France à propos du jeu de tennis, vient de l'anglais, mais la langue anglaise l'avait jadis emprunté (comme il arrive souvent) à l'ancien français *court*, devenu *cour* (la *cour* de la maison). Voyez, parmi les mots de la famille, les mots comme *courtisan*, *courtiser*, où vous retrouvez le T du radical. *Courre* est la forme ancienne du verbe *courir* à l'infinitif. Une chasse à courre est une chasse où la tactique pour capturer le gibier consiste à “le courir” (on parle de “courir le cerf”). Le terme consacré est “chasse à courre, à cor et à cri” : l'expression rappelle les procédés employés, qui excluent l'emploi de toute arme, jusqu'à ce que la bête, cernée, soit enfin mise à mort. Vous voyez comment, grâce à l'orthographe, nous avons l'occasion de faire à tout instant bien des promenades à travers notre langue.

6. Courre

Voir ci-dessus.

7. Clé

La confusion avec *claie* aurait révélé votre méconnaissance absolue de l'orthographe ou du sens des mots les plus usuels de notre langue. Qui ne sait en effet qu'une *claie* est un plateau d'osier à claire-voie ou un treillage servant de clôture, appareils qui n'ont rien à voir avec un festin ?

8. Qu'en

Cette expression s'analyse en un pronom interrogatif élidé (*qu'*) complément d'objet direct du verbe *dire*, et *en*, complément d'objet second du même verbe. Parmi les homophones, apprenez à connaître le nom *khan* ou *kan*, qui désigne un souverain mongol et, sous la forme *kan*, un marché oriental ; et souvenez-vous de distinguer la conjonction de subordination ou l'adverbe interrogatif *quand* (*quand* viendrez-vous ?) et *quant à*, locution prépositive signifiant “pour ce qui est de” (*quant* à moi…).

9. N'

Ce petit mot (d'une seule lettre) était indispensable ; il constitue la forme élidée de la première partie de la locution adverbiale de négation *ne… jamais*. C'est une grave faute de l'oublier à la faveur de la liaison avec le N du pronom indéfini *on* ; pour ne pas commettre d'erreur lorsque vous êtes en présence d'une expression comme “on a” que vous devez mettre à la forme négative : “on n'a pas”, remplacez *on* par *nous* et vous verrez clairement que *nous avons* doit devenir *nous n'avons pas* où le petit mot négatif se fait enfin remarquer.

10. Ouï

Participe passé du verbe *ouïr*. Le tréma est indispensable. La conjugaison de ce verbe est très amusante mais les formes en sont un peu prétentieuses et peu employées, sinon par plaisanterie, même aux temps composés. Vous direz quelquefois : "J'ai *ouï* parler de..." mais vous n'aurez guère l'occasion de dire ou d'écrire : j'ois (présent de l'indicatif) ; j'oyais (imparfait) ; nous ouïmes (passé simple, où le tréma chasse l'accent circonflexe habituel à cette forme) ; j'orrai, j'ouïrai ou j'oirai (trois formes rien que pour le futur !) et, sauf dans une cour de justice anglo-saxonne ou lors d'une proclamation de Sa Gracieuse Majesté, vous "n'orrez" que rarement : "Oyez ! Oyez ! Oyez !", le triple cri de l'huissier ou du héraut annonçant ladite proclamation. Et vous n'aurez pas perdu pour autant... le sens de l'*ouïe* (présent du subjonctif : que j'oie, imparfait du subjonctif : que j'ouïsse, qu'il ou*ït*).

POUR LA RIME

Vous ne vous laisserez pas abuser par la rime en écrivant des mots qui ont tantôt l'orthographe *-oir*, tantôt l'orthographe *-oire*. Nous allons commencer par des variations sur le thème de *voir* ou *voire* (= même). Vous utiliserez l'une ou l'autre forme (à l'exclusion de toute autre) pour remplir les blancs des cinq premières phrases. Et, pour dessert, vous ajouterez la partie qui manque aux mots des trois dernières phrases. Répondez dans la grille qui suit en reprenant le numéro affecté à chaque espace blanc.

— Lorsque vous hésitez sur l'orthographe d'un mot, ne tentez pas de le transcrire avec des variantes. Vous risquez de ne pas choisir la bonne forme et vous êtes sûr d'en retenir plusieurs mauvaises.

— Ils invitèrent les hommes, les femmes ... (1) les enfants.

— Vous serez autorisé à ... (2) les enfants.

— Je demande à ... (3).

— Viendrez-vous me ... (4) demain ? ... (5), c'est à ... (6).

— Nous n'aimons pas nous ... (7) tels que nous sommes.

— Le lieu où les moines prennent leur repas se nomme réfec ... (8).

— Le lieu où les parents rencontrent les professeurs est le par... (9).

— Le lieu où dorment les internes est le dor... (10).

▶ Vos réponses

		Notes sur 2
1		
2		
3		
4		
5		
6		
7		
8		
9		
10		
	Total sur 20	

→ Réponses p. 142

Réponses en vue de l'évaluation

1. voire
2. voir
3. voir
4. voir
5. voire
6. voir
7. voir
8. réfectoire
9. parloir
10. dortoir

Réponses commentées

1. Voire

Ce mot vient du latin *vera*, pluriel neutre de *verus* (vrai) employé adverbialement. Il signifie donc : "vraiment, en vérité", et il a pris le rôle d'un adverbe d'insistance comme l'adverbe *même*. Pour vous rendre bien compte que c'est la forme *voire* (adverbe) qu'il vous faut employer, vérifiez si vous pouvez le remplacer par *même*. C'est le cas ici.

2. Voir

Il s'agit de l'infinitif, réponse sans difficulté. Pour vérifier qu'il s'agit bien d'un infinitif, remplacez *voir* par un autre infinitif sans ambiguïté comme *entendre*.

3. Voir

Même réponse.

4. Voir

Même réponse.

5. Voire

Ici, c'est l'adverbe *voire* qu'il faut employer ; il a un sens très fort, soulignant une idée de doute, teintée d'ironie, un sens que prend parfois aussi l'expression : "Vraiment, en vérité".

6. Voir

Dans cette expression “à voir” il faut prendre garde de bien séparer les deux mots et de ne pas les confondre avec le verbe *avoir*. À est une préposition introduisant le verbe *voir* dans la construction avec un sujet neutre *c'*. Comparez : “c'est à prendre ou à laisser” ou l'expression qui s'est figée en locution conjonctive “c'est-à-dire” (où vous noterez la présence des traits d'union).

7. Voir

Voir les réponses 2, 3, 4.

8. Réfectoire

Ce mot, qu'on trouve orthographié “réfectoir” au XIIe s., a reçu un E final, bien que le nom soit masculin. Il vient d'un mot latin *refectorium* ; il est curieux de noter que le mot *dortoir*, lui aussi masculin, mais sans E final, vient d'un mot latin terminé de même : *dormitorium*. Pourquoi cette finale *-torium* a-t-elle donné *-toire* dans un cas et *-toir* dans l'autre ? Il est vain de chercher à toute force une explication dans cette fantaisie de l'orthographe d'usage. Ce qui ne dispense pas de la respecter.

9. Parloir

Ce mot, évidemment de la famille du verbe *parler*, est calqué sur le mot *dortoir*. On a connu une forme ancienne *parleür*.

Dortoir, *parloir*, comme *réfectoire* appartenaient au champ lexical de la vie monastique, avant de passer dans celui de la vie scolaire.

10. Dortoir

Voir ci-dessus nos 8 et 9.

DEVINETTES

En nous promenant à travers les fantaisies de l'orthographe d'usage, nous allons résoudre quelques devinettes faciles. Ce qui sera plus difficile, ce sera de transcrire sans faute d'orthographe votre réponse car les mots, toujours facétieux, vont encore nous réserver de petites surprises

Voici les dix devinettes dont vous écrirez la réponse dans la grille qui suit.

Ton bras est … (= mot de la famille de *vaincre*, pour signifier : qui n'a jamais subi de défaite) (1) mais non pas … (= mot de la famille de vaincre pour signifier : qui ne peut pas subir de défaite) (2).

Le brave homme était affligé d'un certain emb … (état d'une personne un peu grasse) (3).

En cas de morsure par une vipère, pratiquez la … (action de sucer) (4) de la plaie.

D'être resté longtemps assis, je me sens tout cour … (mot formé sur le radical de *battre*) (5).

Ma chatte s'est enfuie par la … (trou pratiqué dans une porte pour laisser passer les chats) (6).

Le … (agent chargé de l'entretien des routes) (7) maudissait les voitures en s'adressant à la … (coulisse d'un théâtre ; par extension : interlocuteurs absents ou éloignés à qui l'on s'adresse pour être entendu par tout le monde) (8).

Le responsable d'une bibliothèque se nomme le … (mot de la même famille) (9), tandis que le marchand de disques se nomme un … (mot de la même famille) (10).

▶ Vos réponses

		Notes sur 2
1	Ton bras est [......................]	
2	Mais non pas [......................]	
3	Le brave homme était affligé d 'un certain [......................]	
4	En cas de morsure par une vipère pratiquez la [......................]	
5	D'être resté longtemps assis, je me sens cour [......................]	
6	Ma chatte s'est enfuie par la [......................]	
7	Le [......................] maudissait les voitures	
8	en s'adressant à la [......................]	
9	Le responsable d'une bibliothèque se nomme le [......................]	
10	tandis que le marchand de disques se nomme un [......................]	
	Total sur 20	

→ Réponses p. 146

▶ Réponses en vue de l'évaluation

1. invaincu
2. invincible
3. embonpoint
4. succion
5. courbatu
6. chatière
7. cantonnier
8. cantonade
9. bibliothécaire
10. disquaire

▶ Réponses commentées

1. Invaincu

Nous vous avons fait retrouver la réplique célèbre de Rodrigue au Comte (Corneille, *Le Cid*) : "Ton bras est invaincu mais non pas invincible." *Invaincu*, comme *vaincu*, viennent tous deux du verbe *vaincre* et nous retrouvons le radical inchangé dans ces trois formes qui dérivent régulièrement du verbe latin *vinco* (infinitif : *vincere*) selon les lois qui expliquent l'évolution des mots du latin au français. Mais *invincible* est venu d'un adjectif du bas latin *invincibilis*. Nous savons que les mots évoluent différemment suivant l'époque à partir de laquelle ils ont été tirés du latin. C'est ainsi qu'un mot latin comme *fragilis* a donné anciennement le mot français *frêle* et plus récemment une forme plus savante et moins éloignée du latin : *fragile*. Ces formes parallèles sont appelées *doublets*.

2. Invincible

Voir ci-dessus. Pensez à faire rimer avec *cible*.

3. Embonpoint

On sait que le N se transforme en M devant M, B ou P : *emmener*, *embarquer*, *empiler*, etc. L'*embonpoint* est l'aspect physique d'une personne qui est *en bon point*. Mais pourquoi le N s'est-il transformé ici en M devant B et pas devant P ? C'est une des malices de notre langue.

4. Succion

À côté de *sucer*, *suceur*, *suçoir* (notez ici la cédille), nous trouvons cette forme avec deux C. *Succion* s'explique par l'origine du mot, le latin *suctus* qui a donné *suction* en ancien français.

5. Courbatu

Rapprochez ce mot de *courbature*, altération du mot provençal *courbaduro* par attraction de *court* et de *battu*. Le mot provençal, avec le D du radical, n'avait rien qui pût développer deux T, puisque le verbe *battre* n'est pas dans le radical (il a simplement "influé" sur la formation du mot). N'écrivez surtout pas *courbaturé, malgré sa présence dans le dictionnaire de N. Landais en 1834.

6. Chatière

Dans la famille du mot *chat*, retenez la forme du féminin *chatte*, et *chatterie*, *chattemite*, mais n'oubliez pas la *chatière* ni le *chaton*. Et souvenez-vous que le *chaton* de noisetier doit son nom à ce qu'on le compare à la queue d'un petit chat, que *chatoyer*, c'est présenter des reflets comme ceux de l'œil d'un chat.

7. Cantonnier

Le *cantonnier* s'occupe de l'entretien d'un "canton de la route" ; la fonction et le nom sont dus au marquis de Carrion de Nisas (XVIIIe s.), lieutenant du Languedoc, avec influence du provençal moderne *cantoun* (coin). À côté de *cantonner*, établir dans un *cantonnement* (une installation provisoire) des troupes de passage (leur réserver un coin provisoire, en somme), vous n'oublierez pas les élections *cantonales* (pour désigner le conseiller général qui représente le canton auprès du département).

8. Cantonade
Ce mot, qui se rattache aussi à *canton*, nous vient par l'italien *cantonata* (coin de rue) où nous ne trouvons qu'un seul N dans le radical entre O et A. C'est un mot du vocabulaire du théâtre, vocabulaire qui doit beaucoup à l'italien.

9. Bibliothécaire
Le mot a pris forme au XVIe siècle à l'époque où l'on se reportait volontiers à la racine latine : *bibliothecarius* (avec un C).

10. Disquaire
Le mot *disquaire* est très récent (et pour cause, l'enregistrement de la musique est une invention moderne). Ce dernier mot a été inventé en remplaçant la voyelle finale de la forme française *disque* sans toucher à la structure de la syllabe : ce type très simplifié de dérivation se voit fréquemment de nos jours.

L'ANALYSE À NOTRE SECOURS

Pour éviter les fautes d'orthographe, la condition indispensable est de bien identifier les mots. Si vous ne savez pas distinguer la troisième personne du singulier du verbe *être* (*est*) et la conjonction de coordination *et*, en reconnaissant les cas où il faut employer l'une ou l'autre, il est certain que vous ne posséderez jamais un niveau suffisant en orthographe. Avec le test suivant, voyez un peu où vous en êtes. Mettez la bonne forme dans la place laissée vide.

→ **Par exemple**, pour un exercice avec les formes *ai, aie, es, est, et*, on pourrait vous proposer la phrase : *Ils sont présents* [...........] *vous êtes absent.* Vous écrirez alors entre crochets, dans la grille des réponses : *et*.

Où ou *ou* ? (hou ! hou ! hou !)
Dites-moi ... (1), n'en quel pays
Est Flora, la belle Romaine.

Dont ou *donc* ou *don* ?
La voiture ... (2) je vous ai fait ... (3) ne roule ... (4) plus ?

Leur ou *leurs* ? *Le leur* ? *Les leurs* ?
Le maître ... (5) a distribué ... (6) cahiers ; ils ont reçu chacun ... (7) ; ... (8) sont plus épais que les nôtres.

Çà ou *ça* ?
Leurs vêtements sont répandus ... (9) et là et je n'aime pas ... (10).

▶ Vos réponses

		Notes sur 2
1	Dites-moi [...............], n'en quel pays Est Flora, la belle Romaine.	
2	La voiture [......................]	
3	je vous ai fait [......................]	
4	ne roule [......................] plus ?	
5	Le maître [......................] a distribué	
6	[......................] cahiers ;	
7	ils ont reçu chacun [......................] ;	
8	[....................] sont plus épais que les nôtres.	
9	Leurs vêtements sont répandus [......................] et là	
10	et je n'aime pas [......................]	
	Total sur 20	

→ Réponses p. 152

Encore quelques conseils

- Vous vous croyez imbattable en orthographe ? Défiez-vous de vous-même.
- Même les plus savants ont à vérifier leur orthographe.
- Votre orthographe s'affermira si vous écrivez beaucoup. Mais...
- Ayez toujours un dictionnaire auprès de vous et ne restez jamais sur une hésitation.
- Relisez-vous : vous serez surpris de découvrir vos erreurs.

▶ Réponses en vue de l'évaluation

1. où
2. dont
3. don
4. donc
5. leur
6. leurs
7. le leur ou les leurs
8. les leurs
9. çà
10. ça

▶ Réponses commentées

1. Où

Dites-moi où, n'en quel pays
Est Flora, la belle Romaine.

Ces vers sont le début de la *Ballade des Dames du Temps jadis*, de François Villon.

Où prend l'accent car ce mot s'analyse comme l'adverbe interrogatif qui introduit la proposition interrogative indirecte : "Où est Flora". L'accent sur *où* le distingue de la conjonction de coordination *ou* (qui ne prend pas d'accent, naturellement).

2. Dont

La voiture *dont* je vous ai fait don.

Dont est le pronom relatif qui introduit la proposition subordonnée relative "dont je vous ai fait don", complément de détermination de la *voiture*. *Dont* est mis pour *voiture* et, dans la subordonnée, *dont* est complément de l'expression verbale *faire don*. Attention à l'homophonie : "Il vient d'on ne sait où" (d' = de = préposition ; on = pronom indéfini).

3. Don

La voiture dont je vous ai fait *don.*

Il s'agit du nom. Dérivé : donner. Cela vous met sur la voie de la terminaison, comme les autres mots de la famille : *donation*, *donateur*, etc.

4. Donc

La voiture ne roule *donc* plus ?

Le seul mot possible était la conjonction qui est employée ici avec la nuance d'étonnement, soulignée par l'interrogation.

5. Leur

Le maître *leur* a distribué leurs cahiers.

Pronom personnel de la 3e p. du pluriel, au cas régime c'est-à-dire en fonction de complément. Vous retiendrez que ce pronom change de forme quand il change de fonction. On dit qu'il se *décline.* Fonction (ou cas) sujet : ils, elles ; fonction complément direct (cas régime direct) : *les* ("Je *les* vois") ; fonction complément indirect ou complément d'objet second (cas régime indirect) : *leur* ("Je *leur* parle" ; "Je le *leur* donnerai"). Ne confondez pas le pronom *leur* avec l'adjectif possessif ou avec le pronom possessif (voir ci-après) : *leurs cahiers*, *les leurs.*

6. Leurs

Le maître leur a distribué *leurs* cahiers.

Adjectif possessif de la 3e p. du pluriel ; détermine le nom *cahiers* (masc. plur.) et s'accorde avec lui.

7. Le leur ou les leurs

Ils ont reçu chacun *le leur* ou *les leurs.*

Pronom possessif de la 3e p. du pluriel ; mis pour *cahier.* On peut soit admettre que chacun a reçu un cahier (d'où le singulier) soit penser que chacun a reçu plusieurs cahiers (d'où la marque du pluriel). Vous remarquerez que les pronoms possessifs et les adjectifs possessifs rendent compte à la fois du nombre (et de la personne) du possesseur (des possesseurs) et du nombre des choses possédées : *le leur*, *les leurs* ; *le mien*, *la mienne*, *les miens*, *les miennes*, etc.

8. Les leurs

Les leurs sont plus épais que les nôtres.

Voir ci-dessus n° 7.

9. Çà

Leurs vêtements sont répandus *çà* et là.

Adverbe de lieu ; l'adverbe *là* devait vous éviter toute erreur. L'accent sur ces adverbes sert à les distinguer du pronom : *ça* (voir ci-dessous) ou *la* (et de l'article la).

10. Ça

Je n'aime pas *ça*.

Voir ci-dessus.

Retenez également une forme comme celle-ci : "Ç'a été pour moi une surprise que de vous voir arriver."

Ç'a = cela a (avec élision).

QUAND LE VERBE DEVIENT ADJECTIF

Le participe passé d'un verbe peut être employé comme adjectif : "La neige *a fondu*" (verbe conjugué au passé composé), mais "la neige *fondue*" (participe passé employé comme adjectif). Il en est de même avec le participe présent. "La neige, *fondant*, donne de l'eau" (*fondant* est ici participe présent invariable ; sa place, entre virgules, l'isole nettement et correspond à l'expression *en fondant*, qu'on nomme un *gérondif*). Mais si je supprime les virgules j'écrirai, avec un sens différent : "La neige *fondante* est laide à voir" ; j'ai nettement transformé le participe présent en adjectif qui détermine le nom *neige* (quelle neige ?) et s'accorde avec lui. Il arrive, pour un certain nombre de verbes au participe présent, de *changer d'orthographe* quand on transforme ainsi ce participe en adjectif. Par exemple, le participe présent du verbe *fatiguer* est *fatiguant* ("On n'apprend bien qu'en se *fatiguant* un peu") ; mais l'adjectif verbal s'écrit *fatigant* ("Voilà une leçon *fatigante*"). L'adjectif verbal peut aussi, parfois, donner un nom : *adhérer* (infinitif), *adhérant* (participe présent), *adhérent* (adjectif), *un adhérent* (nom).

Nous vous proposons dix phrases dans lesquelles vous aurez à écrire correctement l'adjectif verbal (ou le nom formé avec cet adjectif) correspondant au verbe entre parenthèses.

→ **Par exemple**, si vous trouvez la phrase : *Le*

parti ne compte pas beaucoup d'(adhérer), vous mettrez en crochets dans la grille des réponses : *adhérents*.

1. Votre argumentation n'est pas (convaincre).
2. Passe un certain (croquer) qui marchait les pieds nus.
3. L'équipage de l'avion comptait un radio (naviguer).
4. Je n'apprécie guère votre musique (somnoler).
5. Il faut remplacer les parties (manquer).
6. Vous avez obtenu dans vos tests des résultats (marquer).
7. Nous trouvâmes alors une solution (expédier).
8. *Tout (suffoquer)*
Et blême, quand
Sonne l'heure…
9. Il avait l'habitude de faire des réflexions (piquer).
10. Je ne dispose d'aucun poste (vaquer).

▶ Vos réponses

		Notes sur 2
1	Votre argumentation n'est pas [......................].	
2	Passe un certain [......................] qui marchait les pieds nus.	
3	L'équipage de l'avion comptait un radio [......................].	
4	Je n'apprécie guère votre musique [......................].	
5	Il faut remplacer les parties [............].	
6	Vous avez obtenu dans vos tests des résultats [......................].	
7	Nous trouvâmes alors une solution [......................].	
8	*Tout* [......................] *Et blême, quand Sonne l'heure…*	
9	Il avait l'habitude de faire des réflexions [......................].	
10	Je ne dispose d'aucun poste [......................].	
	Total sur 20	

→ Réponses p. 158

▶ Réponses en vue de l'évaluation

1. convaincante
2. croquant
3. radionavigant ou radio-navigant
4. somnolente
5. manquantes
6. marquants
7. expédiente
8. suffocant
9. piquantes
10. vacant

▶ Réponses commentées

1. Convaincante

Votre argumentation n'est pas *convaincante.*

Infinitif : *convaincre* ; participe : *convainquant* ; adjectif : *convaincant (ante).*

• **Voici la liste des transformations de ce type :** communiquer, communiquant, communicant (ante) ; provoquer, provoquant, provocant (ante) ; suffoquer, suffoquant, suffocant (ante) ; vaquer, vaquant, vacant (ante) ; ajoutons : fabriquer, fabriquant, qui a donné le nom : un(e) fabricant (ante).

2. Croquant

"*Passe un certain croquant qui marchait les pieds nus...*"

La Fontaine, *La Colombe et la Fourmi*

L'adjectif verbal est semblable au participe, mais s'accorde, naturellement.

Comparez : "*Croquant* une gaufrette, il se casse une dent" et : "Il savoure une gaufrette *croquante.*"

Ici, l'adjectif a donné un nom : *un croquant*, ce qui peut arriver à un certain nombre de ces adjectifs verbaux (nous avons vu au point 1 le nom : *un fabricant*). Le nom *un croquant* désigne soit une confiserie faite d'amandes grillées, soit un homme rustre ou un paysan (c'est le cas dans notre citation de La Fontaine).

3. Radionavigant ou radio-navigant

L'équipage de l'avion comptait un *radionavigant*.

Voici les transformations : *naviguer*, *naviguant* (part.), *navigant* (*ante*), *un navigant*. Nous avons affaire ici à un nom qui s'écrit tantôt en un seul mot, tantôt avec un trait d'union. Les deux orthographes sont bonnes.

• **Autres transformations de ce type :**
extravaguer, extravaguant, extravagant (ante) ;
fatiguer, fatiguant, fatigant (ante) ;
intriguer, intriguant, intrigant (ante), un(e) intrigant (ante).

4. Somnolente

Je n'apprécie guère votre musique *somnolente*.

Somnoler, *somnolant*, *somnolent (ente)*. Noter le changement de la voyelle A du participe en voyelle E de l'adjectif.

• **Autres cas semblables :**
adhérer, adhérant, adhérent (ente), un(e) adhérent (ente) ;
affluer, affluant, affluent (ente), un affluent ;
coïncider, coïncidant, coïncident (ente) ;
confluer, confluant, confluent (ente), un confluent ;
différer, différant, différent (ente).

→ **Attention**, ne confondez pas l'adjectif *différent*

(ente) avec le nom *un différend* (= une querelle), mot qui se termine par un D.
équivaloir, équivalant, équivalent (ente), un équivalent ;
exceller, excellant, excellent (ente) ;
expédier, expédiant, expédient (ente) ;
influer, influant, influent (ente) ;
précéder, précédant, précédent (ente), un précédent ;
présider (participe : présidant) a donné le nom *un(e) président (ente)*.

5. Manquantes

Il faut remplacer les parties *manquantes*.

Orthographe semblable à celle du participe, mais accord. C'est un adjectif !

6. Marquants

Vous avez obtenu des résultats *marquants*.

Orthographe semblable à celle du participe, mais accord. C'est également un adjectif.

7. Expédiente

Nous trouvâmes une solution *expédiente*.

Une solution *expédiente*, de même que le nom *un expédient*, qui est la substantivation de cet adjectif (= sa transformation en nom), désigne une solution qui permet d'expédier (c'est-à-dire, en ce sens, "d'évacuer") promptement une difficulté. Mais un expédient passe rarement pour une solution honnête !

8. Suffocant

Tout suffocant
Et blême, quand

Sonne l'heure…

(Verlaine, *Chanson d'automne*)

L'adjectif est différent du participe.

La rime avec *quand* vous a peut-être égaré… *"Ô qui dira les torts de la rime"* (Verlaine).

9. Piquantes

Il avait l'habitude de faire des réflexions *piquantes.*

Orthographe semblable à celle du participe, mais accord. C'est un adjectif.

10. Vacant

Je ne dispose d'aucun poste *vacant.*

Rapprochez cet adjectif (orthographe différente de celle du participe) des noms comme *une vacation* (temps consacré à une affaire ; songez à l'expression : *vaquer à ses affaires*), *un vacataire* (personne qui assure une fonction pour un temps déterminé).

Avec les infinitifs en -*ger*

Noter que pour ces 6 infinitifs : absterger (nettoyer une plaie), converger, déterger (nettoyer), diverger, émerger, négliger, le participe présent conserve le E avant la finale *-ant* pour respecter la prononciation douce du G : abstergeant, convergeant, détergeant, divergeant, émergeant, négligeant, et que les adjectifs dérivés de ces participes ont la forme : abstergent, convergent, détergent, divergent, émergent, négligent.

Ne confondez pas : "Ils *négligent* leurs études" et "C'est un enfant *négligent*" (cas d'homographie mais non d'homophonie). Vous savez que l'adjectif *détergent* (*ente*) a donné le nom : *un détergent* (produit pour nettoyer).

PAS COMME LES AUTRES

Nous avons vu dans le chapitre précédent quelques-unes des malices que nous réserve l'orthographe des adverbes (test 18). Vous devez depuis ne plus vous laisser surprendre par les adverbes en *-ument* et vous avez retenu qu'en général un adverbe, qui se forme à partir d'un adjectif, se contente d'ajouter la terminaison *-ment* à son féminin. Mais il en est qui ne se comportent pas comme les autres. Les connaissez-vous aussi ?

Nous nous contenterons de vous donner le mot duquel ils sont tirés.

Attention : ils ne sont pas tous irréguliers !

Dans la grille du test, vous aurez à écrire l'adverbe correspondant à l'adjectif ou à l'expression qui se trouve à gauche, à la hauteur de la case vide. Par exemple : aveugle → aveuglément.

1. aisé
2. aveugle
3. savant
4. prudent
5. lent
6. apparent
7. présent
8. gentil
9. de nuit
10. en sachant

▶ Vos réponses

	Adjectif ou expression écrite	Adverbe	Notes sur 2
1	aisé		
2	aveugle		
3	savant		
4	prudent		
5	lent		
6	apparent		
7	présent		
8	gentil		
9	de nuit		
10	en sachant		
		Total sur 20	

→ Réponses p. 164

▶ Réponses en vue de l'évaluation

1. aisément
2. aveuglément
3. savamment
4. prudemment
5. lentement
6. apparemment
7. présentement
8. gentiment
9. nuitamment
10. sciemment

▶ Réponses commentées

1. Aisément

Vous savez (test 18, point 1) que les adjectifs terminés au masculin par une voyelle perdent le E du féminin devant la terminaison *-ment*. *Aisé* fait au féminin *aisée* et donne l'adverbe *aisé(e)ment* → *aisément*.

2. Aveuglément

Mais sur ce modèle *aisément* nous trouvons des adverbes en *-ément* dont l'accent aigu est peu justifié :

aveuglément, commodément, communément, conformément, confusément, énormément, expressément, immensément, importunément, impunément, obscurément, opportunément, précisément, profondément, profusément, uniformément.

Notez toutefois que cet accent aigu est bien utile sur l'adverbe *aveuglément* pour le distinguer du nom *l'aveuglement*.

3. Savamment

Souvenez-vous que les adjectifs en *-ant* et en *-ent*,

dont le féminin était autrefois semblable au masculin, forment les adverbes *-amment* ou *-emment* (mais sans différence de prononciation) : abondant → abondamment ; apparent → apparemment.

Exceptions : lentement, présentement, véhémentement suivent la règle générale (voir point 1 et test 18, 1).

4. Prudemment
La forme dérive d'un adjectif en *-ent* d'où la présence du E dans la terminaison *-emment*. Mais attention à la prononciation ! *Prudemment* se prononce comme *savamment*.

5. Lentement
C'est une des exceptions à la règle des adverbes formés sur les adjectifs en *-ent*.

6. Apparemment
Se forme sur un adjectif en *-ent* et se prononce comme *savamment*.

7. Présentement
Voilà encore une exception à la règle des adverbes formés sur les adjectifs en *-ent*.

8. Gentiment
Le féminin de *gentil* est *gentille* et pourtant l'adverbe se forme en associant directement la terminaison *-ment* au radical *genti-*. Pourquoi ? Il faut remonter à la forme ancienne (*Chanson de Roland*, 1080) pour retrouver l'adjectif *gent* (celui qui est remplacé par *gentil*, de nos jours) avec son féminin *gente* (que nous employons encore dans un langage un peu précieux quand nous parlons d'une "*gente* dame"). L'adverbe *gentement* s'est alors formé très régulièrement sur ce féminin. Il était en

usage à l'époque du poète Marot (début du XVIe s.). Par contagion avec la forme moderne de l'adjectif *gentil*, le I s'est trouvé rétabli à la place du E.

9. Nuitamment

Encore une formation étrange !

Elle vient d'une altération, d'après les autres adverbes de manière en *-ment*, de l'ancien adverbe français *nuitantre* (c'est bien un adverbe !) qui dérivait d'un adverbe du bas latin : *noctanter* (= de nuit).

La terminaison a fait passer l'adverbe dans les formes d'adverbes de manière. Mais vous savez qu'il y a bien d'autres adverbes que les adverbes de manière. Songez aux adverbes de temps : aujourd'hui, hier, etc. (sans parler d'autres catégories d'adverbes qui vous sont familières : oui, non, si...).

10. Sciemment

Voilà un adverbe bien intéressant. D'abord par sa prononciation comme celle des adverbes en *-amment*. C'est aussi une forme latine d'adverbe : *scienter*, du latin *sciens*, *scientis* (nominatif et génitif du participe présent du verbe *scio*, *scire* (inf.) = savoir), qui est venue troubler le jeu et qui s'est ornée de la terminaison familière des adverbes de manière. Pour dire que vous parlez d'une question en connaissance de cause vous direz donc : "J'en parle *sciemment*" et non pas "J'en parle *savamment*", expression populaire et impropre, puisqu'elle signifie dans le langage correct : "J'en parle d'une manière savante."

Pour achever notre revue des traîtrises, sachez que cet adjectif *traître*, *traîtresse*, pour vous tendre un dernier piège, a donné l'adverbe *traîtreusement*.

Pourquoi prudemment et lentement ?

Prudent donne l'adverbe *prudemment* mais *lent*, par exception, donne l'adverbe *lentement*. Cette disparité n'est pas absurde. *Prudent* vient en effet du latin *prudens*, forme semblable au masculin et au féminin en latin et l'adverbe dérive de l'expression latine *prudenti mente*. En revanche *lent* vient du latin *lentus*, féminin *lenta*, ce qui fait que l'adverbe dérive de l'expression *lenta mente*. Tous les adverbes de ce type se forment à partir du féminin de l'adjectif français car le A du féminin latin, voyelle très sonore, se maintient sous forme de E en français.

Exemple : beau, belle, bellement. Voilà pourquoi, logiquement, vous écrirez : lent, lente, lentement.

Les 7 adverbes en É

Les adjectifs en E dont dérivent les adverbes en É comme “énorm<u>é</u>ment” sont contenus dans la phrase :

Au prix d'un travail *énorme*, *immense* et *opiniâtre* vous fixerez la règle *aveugle* et mal *commode* parce que non *uniforme* qui fait dériver *conforme* en conformément.

ÉVALUATION RÉCAPITULATIVE DU CHAPITRE IV

Numéro du test		Note sur 20
19	HOMOPHONIE, HOMOPHONIE !	
20	POUR LA RIME	
21	DEVINETTES	
22	L'ANALYSE À NOTRE SECOURS	
23	QUAND LE VERBE DEVIENT ADJECTIF	
24	PAS COMME LES AUTRES	

Total sur 120

Note sur 20 (total divisé par 6)

V

Elle et lui

Avec ce chapitre, nous quittons le maquis de l'orthographe d'usage en passant par le chemin du genre des noms et par celui de la formation du féminin dans les noms et dans les adjectifs.

TEST **25** : *Formez les couples !*

TEST **26** : *Au royaume des monstres*

TEST **27** : *Faut-il ou non s'habiller au féminin ?*

TEST **28** : *Fantaisie féminine*

TEST **29** : *Discret ? Indiscret ?*

TEST **30** : *Quitte ou double ?*

FORMEZ LES COUPLES

Vous savez que l'habitude se prend de donner en toute circonstance au féminin sa place spécifique à côté du masculin. Telle dame devenue ministre tient à être appelée "ministresse". Cherchez un correspondant féminin pour former un couple avec les masculins suivants :

→ **Exemple** : un hôte, une hôtesse.

1. un enfant
2. un professeur
3. un receveur
4. un instituteur
5. un demandeur
6. un supérieur
7. un duc
8. un héros
9. un comte
10. un canard

▶ Vos réponses

	Nom masculin	Nom féminin correspondant	Notes sur 2
1	un enfant		
2	un professeur		
3	un receveur		
4	un instituteur		
5	un demandeur		
6	un supérieur		
7	un duc		
8	un héros		
9	un comte		
10	un canard		
		Total sur 20	

→ Réponses p. 172

Réponses en vue de l'évaluation

1. une enfant
2. une femme professeur
3. une receveuse
4. une institutrice
5. une demanderesse
6. une supérieure
7. une duchesse
8. une héroïne
9. une comtesse
10. une cane

Réponses commentées

1. Une enfant

Le nom *enfant* s'exprime au féminin, mais sans changer de forme ; le féminin se manifeste simplement en raison de la présence de l'article. Rappelons que les noms masculins qui se terminent par un E ont eux aussi la même forme au féminin : un contribuable, une contribuable.

2. Une femme professeur

Pour préciser le genre, quand un mot n'a pas de féminin spécifique, il arrive qu'on ait à ajouter un nom : une femme professeur, une dame censeur, ou un adjectif : un coucou femelle. Ne dites pas : "une professeur". Inversement, il existe des noms qui ne s'emploient qu'au féminin ; l'habitude est prise de dire d'un homme qu'il est "une vedette" ou même "une star". Il est des cas où l'on n'a pas non plus à préciser : une vigie, une sentinelle. Parfois on utilisera un mot complémentaire : une souris mâle.

3. Une receveuse

De même : un vendangeur, une vendangeuse — un

moissonneur, une moissonneuse — un baigneur, une baigneuse — etc.

4. **Une institutrice**
De même : un acteur, une actrice — un tuteur, une tutrice — etc.
Mais *serviteur* fait au féminin *servante*.
Pour *chanteur*, le féminin est *chanteuse* ou *cantatrice* (ce dernier terme est réservé pour les femmes qui chantent le grand répertoire classique).

5. **Une demanderesse**
Ce féminin est assez rare. Citons : un pécheur, une pécheresse (femme qui a commis des péchés ; ne la confondez pas avec l'innocente *pêcheuse* qui se contente de *pêcher*). Pour le féminin de *docteur*, le mot *doctoresse* est parfois encore employé mais on dit plutôt : “Madame le docteur N.” Le nom *gouverneur* n'a pas directement de féminin ; mais on lui fait correspondre le nom *gouvernante* (lorsqu'il s'agit des personnes chargées de l'éducation particulière d'un enfant).

6. **Une supérieure**
De même : un inférieur, une inférieure — un majeur, une majeure — un mineur, une mineure.

7. **Une duchesse**
Ce féminin est particulier, en raison de la forme de son radical : *duch-*.

8. **Une héroïne**
Ce féminin est lui aussi un cas particulier.

9. **Une comtesse**
De même : un âne, une ânesse — un centaure, une centauresse — un chanoine, une chanoinesse —

un hôte, une hôtesse — un poète, une poétesse (remarquez le changement d'accent).

10. Une cane

Canard vient de l'ancien français *ane*, *aine* renforcé d'un C initial expressif; la forme féminine *cane* a été moins altérée puisqu'on ne lui a pas ajouté le suffixe *-ard*.

Vous avez vu également, à l'occasion du test n° 5, 1, des masculins et féminins qui n'ont pas entre eux de rapports de caractère linguistique, mais seulement un rapport sémantique (songez encore à *père* et *mère*, *oncle* et *tante*, etc.).

AU ROYAUME DES MONSTRES

Il s'agit de ces noms qui se sont rendus célèbres parce qu'ils ne veulent absolument pas ressembler aux autres et se présentent comme des masculins dans un cas, comme des féminins dans un autre. Le premier de ces monstres est bien connu : c'est *l'amour* ! Au singulier, il est masculin : *un fol amour*. Au pluriel, il est au féminin : *de folles amours.*

Sous sa conduite, visitons le royaume. Vous allez y rencontrer dix noms. En fonction de leur sexe, vous accorderez l'adjectif qui leur est adjoint entre parenthèses. Mais, attention, dans votre promenade, vous rencontrerez aussi des noms qui ne changent pas de sexe.

Exemple de réponse : les oriflammes (coloré) → récrire dans la colonne de droite, en faisant l'accord : *colorées* (le nom oriflamme étant du féminin).

1. les aigles (romain)
2. l'orgue (rénové)
3. les orgues (retentissant)
4. les gens (âgé)
5. l'obélisque (géant)
6. les obélisques (élevé)
7. l'hymne (national)
8. l'écritoire (complet)
9. les pétales (violet)
10. l'œuvre (achevé)

▶ Vos réponses

	Expression proposée	Adjectif correctement accordé	Notes sur 2
1	les aigles (romain)		
2	l'orgue (rénové)		
3	les orgues (retentissant)		
4	les gens (âgé)		
5	l'obélisque (géant)		
6	les obélisques (élevé)		
7	l'hymne (national)		
8	l'écritoire (complet)		
9	les pétales (violet)		
10	l'œuvre (achevé)		
		Total sur 20	

→ Réponses p.178

Chose et personne

Chose, nom, est féminin : *de belles choses*. Mais dans les locutions *quelque chose*, *autre chose*, *grand-chose*, il est neutre (ni masculin, ni féminin ; mais il s'accorde en fait comme un masculin) : *Quelque chose est arrivé.*

Personne, nom, est féminin : *une belle personne.* Mais, au sens indéfini, il est masculin : *Personne n'est méchant volontairement.*

Le sexe des villes

Paris est grand ; Venise est belle.

On *peut* admettre que lorsque le genre du nom de la ville n'est pas précisé par l'article ou par un mot annexe (*La Rochelle*, *Le Vigan*, *Sainte-Adresse*, *Saint-Nazaire*), c'est la terminaison du nom qui suggère le genre, les noms terminés par E étant sentis comme féminins et les autres comme masculins. Mais, si vous êtes embarrassé, tournez la difficulté (sauf dans une dictée) en précisant le nom propre par l'adjonction du nom *ville*, qui commandera le féminin : *La ville de Londres est située sur la Tamise.*

Retenez cependant que l'usage a codifié le “sexe” de certaines villes ; *New York* (masculin), *Athènes*, *Jérusalem* (féminin) : *la Jérusalem nouvelle.*

▶ Réponses en vue de l'évaluation

1. romaines
2. rénové
3. retentissantes
4. âgés
5. géant
6. élevés
7. national
8. complète
9. violets
10. achevée - achevé

▶ Réponses commentées

1. Les aigles romaines
Aigle est masculin, sauf quand il désigne des enseignes (nom féminin) militaires : c'est ici le cas.

2. L'orgue rénové
C'est ici qu'il faut appliquer la fameuse règle : *amour*, *délice* et *orgue* sont masculins au singulier et féminins au pluriel. Mais on pourra écrire : "Tous les orgues de la région ont été rénovés", parce qu'on parle de plusieurs instruments.

3. Les orgues retentissantes
Le féminin pluriel s'emploie… pour parler **d'un seul instrument** : *les grandes orgues de Notre-Dame*.

4. Les gens âgés
La forme du nom, au singulier, est *gent* (féminin) : *la gent ailée* ; au pluriel, le nom *gens* est féminin quand il est immédiatement précédé d'un adjectif : *les bonnes gens* ; il passe au masculin s'il est suivi de l'adjectif comme dans le cas proposé.

5. L'obélisque géant
Le nom *obélisque* est tout à fait régulier ; il est masculin au pluriel comme au singulier. N'oubliez pas son genre, en retenant cet exemple.

6. Les obélisques élevés
C'est un piège ! Ici, le genre ne change pas si l'on passe du singulier au pluriel.

7. L'hymne national
Le nom hymne ne s'emploie au féminin (facultativement) que pour désigner certains chants liturgiques.

8. L'écritoire complète
Ce mot est sans malice, du même genre au singulier et au pluriel. Ce genre est le *féminin*.

9. Les pétales violets
Ce mot est lui aussi très régulier, mais il faut se souvenir que son genre est le *masculin*.

10. L'œuvre achevé ou l'œuvre achevée
Ici, les deux réponses sont admissibles selon le sens que vous donnez au mot *œuvre*. En effet, *œuvre* s'emploie au masculin dans les expressions *le grand œuvre* (l'œuvre exceptionnellement important d'un auteur ou d'un artiste) et *le gros œuvre* (les murs et le toit dans une construction, par opposition aux aménagements et aux finitions). Le mot est également masculin quand il désigne l'ensemble des ouvrages d'un artiste : *L'œuvre de Picasso est connu partout*.

Retenez encore qu'*automne* et *après-midi* sont masculins ou féminins, sans distinction de sens.

FAUT-IL S'HABILLER AU FÉMININ ?

Tous les adjectifs n'acceptent pas la forme féminine. Il en est d'autres qui, par représaille ? n'acceptent pas la forme masculine. Le saviez-vous ? Sûrement. Il ne vous sera donc pas difficile, devant les mots de la liste ci-contre, de signaler ceux qui changent de forme (dans un sens ou dans l'autre) et ceux qui n'en changent pas. Vous mettez, selon le cas, une croix dans la colonne des oui ou une croix dans la colonne des non.

→ **Par exemple**, pour l'adjectif pâle, vous mettrez une croix dans la colonne NON (non, en effet, cet adjectif ne change pas de forme en passant du masculin au féminin) ; pour l'adjectif petit, vous mettriez une croix dans la colonne OUI (le féminin, petite, est différent du masculin).

▶ Vos réponses

Les adjectifs suivants changent-ils de forme entre le masculin et le féminin?		OUI	NON	Notes sur 2
1	cannibale			
2	châtain			
3	crasse			
4	dispos			
5	fat			
6	grognon			
7	mignon			
8	morose			
9	ovale			
10	prude			
			Total sur 20	

→ Réponses p. 182

▶ Réponses en vue de l'évaluation

1. NON
2. OUI et NON, les deux réponses sont acceptées
3. NON
4. NON
5. NON
6. NON
7. OUI
8. NON
9. NON
10. NON

▶ Réponses commentées

1. Cannibale

Les adjectifs qui ont déjà un E au masculin ne changent pas de forme au féminin.

Adjectifs en *-ale* autres que l'exemple donné : acéphale, mâle, ovale, pâle, sale.

Adjectifs en *-èle* : fidèle, frêle, grêle, isocèle, modèle, parallèle.

Bien entendu, les adjectifs terminés par *-al* au masculin se terminent par *-ale* au féminin : le conseil municipal, l'assemblée municipale.

2. Châtain

Les deux réponses sont acceptables. Mais si vous mettez l'adjectif *châtain* au féminin, n'oubliez pas de l'écrire : *châtaine* (une couleur châtaine).

3. Crasse

Six adjectifs n'ont **que la forme féminine** : canine (la dent canine), crasse (une ignorance crasse), enceinte (une femme enceinte), pote (une main pote = grosse, bouffie, maladroite), prude (une femme prude), quote (la quote-part).

4. **Dispos**
Six adjectifs sont invariables en genre (et donc dans leur forme). Ce sont : capot (qui ne fait aucune levée aux cartes ; par extension, et familièrement : confus, interdit), dispos, grognon, intestat (qui est mort sans faire de testament), rosat (se dit de certaines préparations pharmaceutiques obtenues à partir de pétales de roses : la pommade rosat), témoin.

5. **Fat**
Trois adjectifs sont toujours au masculin parce qu'ils ne sont employés **qu'avec des noms au masculin** : aquilin (un nez aquilin), fat (un air fat), vélin (du papier vélin = qui imite le vélin, peau de veau préparée en manière de parchemin mince et fin).

6. **Grognon**
Fait partie des six adjectifs invariables en genre. Vous écrirez donc : “Je suis d'humeur grognon”.

7. **Mignon**
Cet adjectif appartient à la catégorie de ceux qui doublent la dernière consonne pour former le féminin : mignon, mignonne ; nous les retrouverons bientôt.

8. **Morose**
Cet adjectif ayant déjà un E à la finale du masculin ne prend pas d'autre terminaison au féminin : un temps morose, une saison morose.

9. **Ovale**
Il appartient à cette même catégorie d'adjectifs qui comportent déjà un E au masculin et qu'il ne faut

pas confondre avec ceux qui ont au masculin la forme *-al* (bancal, municipal, principal, etc.)

10. Prude

Prude, nous l'avons vu, n'existe que sous la forme féminine. Vous trouverez cependant une forme élidée employée au masculin dans le nom composé *un prud'homme*. Le terme désignait jadis une personne experte dans la connaissance de certaines choses. De nos jours il désigne les membres de la juridiction compétente pour juger les différends entre les employeurs et leurs salariés.

FANTAISIE FÉMININE

Vous connaissez le principe de la formation des féminins : on ajoute un E muet final. C'est ainsi que *petit* devient *petite*. Voilà qui est très simple. Trop simple ! Quelle variété, en effet, dans la formation des féminins ! La liste des adjectifs que nous vous proposons, dont chaque mot correspond à un cas, est là pour vous le rappeler. Ces adjectifs vous sont familiers. Réfléchissez bien, cependant, avant d'écrire leur féminin, dans la colonne de droite sur la page suivante.

→ **Exemple** : bon, *bonne*.

1. pareil
2. blanc
3. long
4. aigu
5. amer
6. actif
7. doux
8. boudeur
9. tiers
10. frais

▶ Vos réponses

	Masculin	Féminin	Notes sur 2
1	pareil		
2	blanc		
3	long		
4	aigu		
5	amer		
6	actif		
7	doux		
8	boudeur		
9	tiers		
10	frais		
		Total sur 20	

→ Réponses p. 188

Du temps de nos grand-mères

L'adjectif masculin *grand* fait normalement son féminin avec E : *grande*. On dit cependant : *grand-rue*, *grand-mère*, *grand-messe* qu'on écrit parfois *grand'rue*, *grand'mère*, *grand'messe*. C'est une erreur, condamnée par la grammaire de l'Académie, de mettre après *grand* une apostrophe comme s'il y avait eu élision. Car il n'y a pas d'élision : *grand* vient de l'adjectif latin *grandis* qui était une forme commune au féminin et au masculin. Notre langue a longtemps gardé la même forme pour les deux genres. Le E n'est venu qu'après, par analogie avec le cas général : *petit*, *petite*, et l'on trouve encore la forme *grand* pour le féminin, même après le nom. “Mère-*grand*, que vous avez de grandes dents !”

▶ Réponses en vue de l'évaluation

1. pareille
2. blanche
3. longue
4. aiguë
5. amère
6. active
7. douce
8. boudeuse
9. tierce
10. fraîche

▶ Réponses commentées

1. Pareille

Les adjectifs en AS, EIL, EL, EN, ON doublent la dernière consonne : las, lasse — pareil, pareille — cruel, cruelle — ancien, ancienne — polisson, polissonne.

— Exception : ras, rase. L'herbe *rase*.

• **Autres cas de redoublement :**

épais, épaisse — exprès, expresse — gentil, gentille — gros, grosse — métis, métisse — nul, nulle — paysan, paysanne.

Mais *partisan* fait au féminin *partisane*. Ce féminin, quoique de création récente, est désormais couramment employé. On parle volontiers d'une politique *partisane*.

2. Blanche

Certains adjectifs ajoutent une consonne nouvelle, un U ou un accent pour former leur féminin : blanc, blanche — franc, franche — sec, sèche.

Attention au féminin de *grec* : *grecque*.

3. Longue

L'adjectif *long* donne au féminin : *longue*. De même, l'adjectif *oblong* fait : *oblongue* (= sensiblement plus long que large). Voir ci-dessus n° 2.

4. Aiguë

Ne pas oublier le tréma sur le E qui marque le féminin. Rappelez-vous que ce tréma signifie que la lettre **précédente** se prononce à part. Comparez la prononciation du mot *ligue* et celle de l'adjectif *aiguë*. De même : ambigu, ambiguë — contigu, contiguë — exigu, exiguë.

5. Amère

Les adjectifs en *-er* ou en *-ier* ont le féminin en *-ère* ou *-ière* : étranger, étrangère — familier, familière, etc.

6. Active

Les adjectifs en *-if* font leur féminin en *-ive* : actif, active — pensif, pensive — poussif, poussive ; de même les adjectifs en *-euf* font leur féminin en *-euve* : neuf, neuve — veuf, veuve.

7. Douce

Les adjectifs en *-oux* font leur féminin de la façon suivante : jaloux, *jalouse* — doux, *douce* — roux, *rousse*. Trois formations différentes ! Rappelez-vous cette phrase : “Pour une femme si douce, être jalouse d'une rousse !”

8. Boudeuse

Les adjectifs en *-eur* font généralement leur féminin en *-euse* : boudeur, boudeuse — grondeur, grondeuse — racoleur, racoleuse — etc.

— Exceptions :

a) majeur, meilleur, mineur et les adjectifs en *-érieur* suivent la règle générale de formation du féminin (masculin + E) : majeur, majeure — antérieur, antérieure — etc.

b) la plupart des adjectifs en *-teur* font leur féminin en *-trice* : dominateur, dominatrice — corrupteur, corruptrice, etc.

c) quatre adjectifs en *-eur* font leur féminin en *-eresse* : chasseur, chasseresse (Diane chasseresse : Diane était la déesse de la chasse) — enchanteur, enchanteresse — pécheur (attention à l'accent : il s'agit de l'homme qui a commis des péchés), pécheresse — vengeur, vengeresse.

Les terminaisons d'adjectif en *-esse* relèvent d'un niveau de langage élevé (façon de parler et surtout d'écrire particulièrement surveillée).

9. Tierce

Retenez encore que le féminin de *tiers* est *tierce* (une tierce personne), celui de *faux*, *fausse*, celui de *muscat*, *muscade* (le vin *muscat* ; la noix *muscade*) ; vous avez déjà rencontré, à propos des finales : absous, absoute — dissous, dissoute.

Et sachez que *caduc*, *public* et *turc* donnent au féminin : *caduque*, *publique* et *turque* ; le masculin *laïc* ou *laïque* donne le féminin *laïque*. La première forme du masculin est peu en usage.

10. Fraîche

Il est très important de ne pas oublier l'accent circonflexe. Voici pour finir le rappel des cas où les masculins subissent encore d'autres types de transformation : beau, belle — jumeau, jumelle — nouveau, nouvelle — fou, folle — mou, molle — vieux, vieille.

Mais les adjectifs *beau*, *nouveau*, *fou*, *mou*, *vieux* ont une autre forme de masculin devant une voyelle ou un H aspiré : un *bel* édifice, un *nouvel* habit, un *fol* espoir, un *mol* oreiller, le *vieil* homme.

La cage aux fols

Pour votre curiosité, sachez qu'au XVIIIe s. on écrivait encore couramment *fol* en prononçant déjà *fou*. On écrivait : "Ces hommes sont *fols*" et l'on prononçait : *fous*. Dans un vaudeville de Michel Blavet, *le Jaloux corrigé*, on lit sur le manuscrit :

"*Être un époux,*
Être jaloux,
Être coucou,
Ce sont trois coups
À rendre tous
Les sages fols"

Il est bien évident que la graphie *fols*, à la rime, correspondait à la prononciation *fous* — que les chanteurs oublient souvent de respecter, en croyant... respecter le texte écrit.

DISCRET ? INDISCRET ?

Le correspondant de Nana (test 18) a jugé nécessaire de lui répondre. Fut-il *discret* ou *indiscret* ? À vous de juger. En tout cas, voici la lettre qu'il lui a adressée. Comme vous le constatez, lui aussi compte sur vous. Nana était brouillée avec les adverbes. Son soupirant est brouillé avec l'accord des adjectifs. Mettez-les pour lui sous la forme convenable en les récrivant dans la colonne de droite de la grille, à la page suivante.

Mademoiselle,

Ma plume ne saurait demeurer (muet) 1 quand vous me reprochez une attitude (indiscret) 2. Mais la vôtre est (désuet) 3. Malgré votre allure (jeunet) 4 vous avez l'âme bourgeoise de ces petites dames (replet) 5 et contentes d'elles-mêmes qui ne recherchent que les satisfactions (concret) 6 et ne sauraient éprouver ces passions (secret) 7, sans lesquelles la vie ne serait pas (complet) 8. Je connais des jeunes filles que vous jugerez peut-être (coquet) 9 mais qui, ne soyez pas (inquiet) 10, me vengeront de vos mépris.

Jules

▶ Vos réponses

	Expression du texte (adjectif non accordé)	Adjectif accordé	Notes sur 2
1	ma plume (*muet*)		
2	une attitude (*indiscret*)		
3	une attitude (*désuet*)		
4	une allure (*jeunet*)		
5	des dames (*replet*)		
6	les satisfactions (*concret*)		
7	les passions (*secret*)		
8	la vie (*complet*)		
9	des jeunes filles (*coquet*)		
10	une femme (*inquiet*)		
		Total sur 20	

→ Réponses p. 194

▶ Réponses en vue de l'évaluation

1. muette
2. indiscrète
3. désuète
4. jeunette
5. replètes
6. concrètes
7. secrètes
8. complète
9. coquettes
10. inquiète

▶ Réponses commentées

1. Muette (ma plume *muette*)
Les adjectifs en ET doublent leur dernière consonne sauf ceux qui vont être signalés ci-après.

2. Indiscrète (une attitude *indiscrète*)
Voici la liste des sept adjectifs qui font exception : complet, complète — concret, concrète — désuet, désuète — discret, discrète — inquiet, inquiète — replet, replète — secret, secrète. Vous avez tiré sans difficulté *indiscret*, *indiscrète* de *discret*, *discrète*.

3. Désuète (une attitude *désuète*)
Cet adjectif figure sur la liste des exceptions.

Il signifie : dont on n'a plus l'habitude, archaïque. Le mot vient du latin *desuetus* et son introduction dans notre langue est assez récente. Il a été précédé par l'introduction du nom *désuétude* (du latin *desuetudo*) : état d'abandon où tombe un usage qui n'est plus suivi. Ce mot *désuétude* était lui-même rare jusqu'au XVIIIe s. Mais, de nos jours, l'expression "tomber en désuétude" est fréquemment employée et l'adjectif *désuet*... est d'actualité.

4. Jeunette (une allure *jeunette*)

Comme *jeunette*, beaucoup de ces adjectifs en *-et* qui doublent la consonne au féminin sont des diminutifs. Les poètes de la Renaissance aimaient s'amuser à en inventer.

Amelette
Ronsardelette
Mignonnelette
Doucelette... (Ronsard)

Dans le même genre, un poète faisait dire à une bergère du temps de Ronsard :

Pourtant, si je suis jeunette
Ami n'en prenez émoi,
Je ferai mieux la chosette
Qu'une plus vieille que moi.

5. Replètes (des dames *replètes*)

Une personne *replète* est une personne qui a un peu trop d'embonpoint.

6. Concrètes (les satisfactions *concrètes*)

L'adjectif *concret* s'est d'abord appliqué à des réalités physiques pour qualifier un produit qui a une consistance solide. En terme de raisonnement, il s'applique, par analogie, à ce qui a une réalité tangible, par opposition aux idées *abstraites*. Un phénomène physique, ou psychique, ou social, a une réalité *concrète*.

7. Secrètes (les passions *secrètes*)

Cet adjectif, qui est dans notre langue depuis le Moyen Âge, vient du latin *secretus* (= séparé), participe passé du verbe *secernere*.

8. Complète (la vie *complète*)
Sur le modèle de ces féminins (qui font exception à la règle générale de la double consonne), vous saurez sans difficulté trouver la forme de l'adverbe correspondant, par exemple, ici : *complètement* (ou *secrètement*, ou *discrètement*, etc.) et aussi la forme de l'adjectif contraire, que nous n'avons pas cité : *incomplet*, *incomplète*.

9. Coquettes (des jeunes filles *coquettes*)
Nous avons affaire à la règle normale du doublement. Cet adjectif *coquet* vient très joliment du diminutif de *coq* ; un *coquet* est un "petit coq". Une personne *coquette* se présente avec la fatuité satisfaite d'un petit coq. Le terme est maintenant moins ironique, en général, et si les *coquettes* sont encore ridicules, la *coquetterie* de bon aloi ne l'est pas.

10. Inquiète (une femme *inquiète*)
Il existe aussi un adjectif *quiet*, *quiète*, moins employé. Mais le nom correspondant, *quiétude*, l'est davantage. *Quiet* vient du latin *quietus*, qui veut dire "tranquille". Être *inquiet* c'est donc avant tout ne pas se tenir tranquille, physiquement parlant et, par extension, être dans une certaine agitation d'esprit.

QUITTE OU DOUBLE ?

Les adjectifs en *-ot* comme les adjectifs en *-et* doublent la consonne T pour former leur féminin, mais pas tous. Pour la liste de dix adjectifs que nous vous soumettons, vous écrirez, sur la grille de réponse, à la hauteur de chaque masculin, dans la case *Quitte*, le féminin de ceux qui ne doublent pas le T, et dans la case *Double*, le féminin de ceux qui doublent le T.

→ **Par exemple**, pour l'adjectif *bigot* au masculin, vous écririez *bigote* dans la case *Quitte*, pour l'adjectif *sot* au masculin, vous écririez *sotte* dans la case *Double*.

Voici **la liste** des adjectifs qui vous sont soumis :

1. boulot
2. dévot
3. falot
4. fiérot
5. idiot
6. maigriot
7. manchot
8. pâlot
9. petiot
10. vieillot

▶ Vos réponses

	Adjectif au masculin	Quitte	Double	Notes sur 2
1	boulot			
2	dévot			
3	falot			
4	fiérot			
5	idiot			
6	maigriot			
7	manchot			
8	pâlot			
9	petiot			
10	vieillot			
			Total sur 20	

→ Réponses p. 200

Comment les noms et les adjectifs sont nés du latin

Vous trouvez souvent des allusions à cette origine. Il est important que vous reteniez qu'en latin les noms et les adjectifs se déclinent : ils changent de forme suivant qu'ils sont par exemple employés comme sujet ou comme complément d'objet direct — ou se rapportent à un sujet (cas nominatif) ou à un complément d'objet direct (cas accusatif). Par exemple : *prudens* (prudent) est un cas nominatif, un cas sujet ; *prudentem* est le cas accusatif, le cas du C.O.D. ; or c'est sur ce cas accusatif, encore appelé "cas régime direct", ou simplement "cas régime", que se sont généralement formés autrefois les mots de notre langue. C'est pourquoi le mot français correspondant est le mot *prudent* avec un T (celui que vous trouvez dans la forme de l'accusatif latin).

Histoire de boulot

L'histoire du mot *boulot* est curieuse. À l'image de la *boule* de pain de ménage, on a fabriqué au début du XIXe siècle une boule plus petite qui s'est appelée pain *boulot*; le pain étant le symbole de la nourriture qu'il faut gagner, "gagner son pain" s'est traduit logiquement par "aller au boulot" (aller là où on peut gagner son pain) ; d'où également l'expression *boulotter*: consommer son pain boulot, qui était au siècle dernier l'essentiel de la nourriture des classes pauvres.

▶ Réponses en vue de l'évaluation

	Masculin	Quitte	Double
1	boulot		boulotte
2	dévot	dévote	
3	falot	falote	
4	fiérot	fiérote	
5	idiot	idiote	
6	maigriot		maigriotte
7	manchot	manchote	
8	pälot		pâlotte
9	petiot	petiote	
10	vieillot		vieillotte

▶ Réponses commentées

1. Boulot, boulotte

L'adjectif *boulot* vient de *boule* : le pain *boulot*. Il est formé avec le diminutif *-ot* (un diminutif est un suffixe qui exprime une réduction de grandeur ou de valeur). Pour vous souvenir du féminin *boulotte*, songez au verbe *boulotter*. Une personne *boulotte* désigne, dans le langage familier, une personne petite et grosse.

2. Dévot, dévote

Ce mot n'est pas un diminutif. Il vient de l'adjectif latin *devotus* (pieux) qui faisait au féminin *devota*, d'où *dévote* (songez aussi à l'adverbe *dévotement* et à des mots comme *dévotion*, ou *dévotieux* (adj.) : qui est d'une dévotion minutieuse). À l'origine (texte de saint Bernard), *dévot* n'avait pas le sens péjoratif qu'il a pris parfois, surtout lorsqu'on songe aux faux dévots comme le célèbre Tartuffe.

Vous retiendrez que deux autres adjectifs qui stigmatisent la fausse dévotion font leur féminin comme *dévot, dévote*. Il s'agit de l'adjectif *bigot* (*bigote*) nettement péjoratif, et de *cagot* (*cagote*). Ce dernier mot (ne confondez pas avec le nom *cageot* ! La prononciation n'est pas du tout la même) désignait autrefois, dans les Pyrénées, un miséreux, peut-être un lépreux, en tout cas une personne infréquentable. Par contagion avec le mot *bigot*, il sert maintenant d'adjectif (ou de nom) en s'appliquant à une personne qui affecte une dévotion sans mesure.

3. **Falot, falote**
Ce mot a vu son sens évoluer curieusement. Il désignait initialement un joyeux compagnon (voir l'anglais *fellow*) mais il a pris le sens de "terne" sous l'influence de *pâlot*, pourtant bien différent, puisque, nous l'allons voir, ce dernier adjectif est un diminutif de *pâle* et prend deux T.

4. **Fiérot, fiérote**
Diminutif. Puérilement fier. Ce mot vient en effet de *fier*, avec une forme curieuse de diminutif puisque, à la différence de beaucoup d'autres, il ne double pas le T. N'oubliez pas l'accent aigu sur le *é*.

5. **Idiot, idiote**
Vient, à travers le mot latin *idiota*, du mot grec *idiotès* qui signifiait "un particulier" puis "un homme du commun et un ignorant". Le grec, comme le latin, ne comportait qu'un seul T.

6. **Maigriot, maigriotte**
Cet adjectif appartient typiquement à la série des diminutifs qui doublent le T au féminin.

7. Manchot, manchote
De l'ancien français *manc*, féminin *manche*, qui signifiait "estropié" (latin : *mancus*). Rapprochez le verbe *manquer*. La *manche*, qui désigne en argot le monde des mendiants, tire peut-être son origine de ce que ce monde sorti de la "cour des miracles" se présente volontiers sous la figure de gens estropiés.

8. Pâlot, pâlotte
Diminutif de l'adjectif *pâle*. Nous avons affaire à la forme classique du diminutif avec doublement du T au féminin.

9. Petiot, petiote
Ici, attention ! Bien qu'étant également un diminutif, cet adjectif ne double pas le T au féminin. Rapprochez *fiérot, fiérote* et songez au nom *petitesse* ou à l'adjectif *petite*.

10. Vieillot, vieillotte
Diminutif de *vieux*, *vieille*. Vous savez que le masculin *vieux* prend la forme *vieil* devant un nom commençant par une voyelle ou un H muet : *un vieil homme*. Notez les deux L et les deux T de *vieillotte*.

ÉVALUATION RÉCAPITULATIVE DU CHAPITRE V

Numéro du test		Note sur 20
25	FORMEZ LES COUPLES !	
26	AU ROYAUME DES MONSTRES	
27	FAUT-IL OU NON S'HABILLER AU FÉMININ ?	
28	FANTAISIE FÉMININE	
29	DISCRET ? INDISCRET ?	
30	QUITTE OU DOUBLE ?	

Total sur 120 [ ]

Note sur 20 (total divisé par 6) [ ]

VI

Multipliez-vous ?

Savez-vous multiplier, multiplier sans écrire de chiffres ? Vous vous posez la question avec nous et c'est une façon d'aborder le chapitre des pluriels. Nous commencerons en effet par un test sur les *mots numéraux*, avant de passer en revue votre connaissance des règles qui président aux pluriels des noms et des adjectifs.

SAVEZ-VOUS ÉCRIRE LES NOMBRES ?

Savoir compter, c'est bien, et nous pensons, Dieu merci, que c'est banal ; mais écrire correctement les nombres en toutes lettres, voilà qui n'est déjà plus à la portée de tout le monde ; et cependant les règles du bon usage littéraire ou de la simple civilité doivent vous l'imposer (voir encadré). Vous allez donc vous mesurer avec les deux catégories de "mots numéraux" : ceux que l'on appelle "adjectifs numéraux cardinaux", ou plus exactement "noms de nombres" : *un*, *deux*, *trois*, etc., et ceux que l'on appelle "adjectifs numéraux ordinaux" : *premier*, *deuxième*, *troisième*, etc.

Vous écrirez en toutes lettres (partie droite de la grille ci-après) les expressions numériques placées entre crochets dans la partie gauche.

Attention : l'usage incorrect des traits d'union ou toute erreur d'orthographe rendront votre réponse nulle.

Vos réponses

		Traduction en lettres	Notes sur 2
1	entre [4] yeux		
2	les [400] coups		
3	[99]		
4	[421]		
5	l'an [1992]		
6	[2 350 500 000]		
7	la [52e] semaine		
8	les [XVIe] Jeux olympiques		
9	la [200e] seconde		
10	[2/100] du total		

Total sur 20

→ Réponses p. 208

▶ Réponses en vue de l'évaluation

1. quatre
2. quatre cents
3. quatre-vingt-dix-neuf
4. quatre cent vingt et un
5. mille (ou *mil*) neuf cent quatre-vingt-douze
6. deux milliards trois cent cinquante millions cinq cent mille
7. cinquante-deuxième
8. seizièmes
9. deux centième (ou : deux-centième)
10. deux centièmes

▶ Réponses commentées

1. Quatre

Les adjectifs numéraux cardinaux sont invariables. On doit donc écrire (et prononcer sans liaison) : "Entre quatre yeux."

2. Quatre cents

Par exception à la règle ci-dessus, *vingt* et *cent*, lorsqu'ils sont multipliés par un adjectif numéral **et non suivis d'un autre adjectif numéral**, prennent la marque du pluriel. Ainsi *vingt* est multiplié dans *quatre-vingts*, qui appartient à un ancien système de numération par *vingt* utilisé en Gaule bien avant la conquête romaine et qu'on trouve encore dans la vieille expression français *six-vingts* ; "Par ma foi ! Vous passerez les six-vingts" (ans) dit un personnage de Molière. À Paris existe l'hôpital des *Quinze-Vingts*, hôpital pour aveugles créé par Saint Louis pour trois cents aveugles.

3. Quatre-vingt-dix-neuf

Dans les adjectifs numéraux cardinaux composés,

on met un trait d'union **entre deux adjectifs inférieurs à cent**.

En vertu de la règle exposée au numéro 2, vous notez que vingt n'a pas reçu la marque du pluriel.

4. **Quatre cent vingt et un**
Mais la conjonction *et* remplace le trait d'union dans les nombres inférieurs à cent. On écrira de même, par exemple : *soixante et un*, alors qu'on écrira : *quatre-vingt-un*.

5. **Mille (ou mil) neuf cent quatre-vingt-douze**
Vous retrouvez dans cette expression numérique l'application de toutes les règles exposées ci-dessus. Notez cependant que la forme MIL s'emploie dans les dates sur certains actes administratifs et en poésie. Vous n'êtes jamais tenu de l'employer.
Si vous avez écrit (ou si vous écrivez) *septante*, *octante* ou *nonante* (expressions très employées en Suisse et en Belgique) au lieu de *soixante-dix*, *quatre-vingts*, *quatre-vingt-dix*, vos réponses sont valables, bien entendu (*nonante-neuf* au n° 3 ; *mille neuf cent nonante-deux*, ici).

6. **Deux milliards trois cent cinquante millions cinq cent mille**
Nous voyons que les mots *milliards* et *millions* sont des noms qui, **multipliés**, prennent la marque du pluriel, quelle que soit leur place dans l'expression numérique. Mais, bien entendu, on écrira *un milliard* ou *un million* au singulier. Vous constatez que dans l'expression étudiée le mot *cent* n'a pas la marque du pluriel (voir n° 2).

7. **Cinquante-deuxième**
Les adjectifs numéraux ordinaux sont formés sur les adjectifs cardinaux en ajoutant le suffixe *-ième*.

Cinquante-deux → cinquante-deuxième. On dira toutefois : “Je suis premier”, mais il faut dire : “Le mille unième candidat.”

8. Seizièmes
Avec les adjectifs ordinaux, nous avons affaire à de véritables adjectifs qui s'accordent avec le nom auquel ils se rapportent : *les premiers dimanches de printemps*, *les seizièmes Jeux*, *les premières fleurs*.

9. Deux centième ou deux-centième
Selon l'Académie, les règles qui président à l'emploi ou au non-emploi du trait d'union dans les adjectifs cardinaux s'appliquent aux adjectifs ordinaux. Par conséquent, *deux centième* s'écrit sans trait d'union (voir n°s 3 et 4). Mais l'usage veut que, dans les adjectifs ordinaux, on emploie partout le trait d'union ou la conjonction *et* : *la deux-cent-cinquantième page, le cent-soixante et onzième numéro*.

10. Deux centièmes
Attention ! *Centième* n'est plus ici un adjectif numéral ordinal, c'est un nom : le nom du dénominateur d'une fraction. Il suit donc la règle du pluriel des noms si le numérateur (ici : *deux*) est autre chose que 0 ou 1. Ne confondez pas : 1/200 de seconde (un deux-centième de seconde) et 2/100 s (*deux centièmes* de seconde). Ce n'est la même chose ni du point de vue mathématique, ni du point de vue orthographique.

Les chiffres et les lettres

“C’est une marque de négligence que d’écrire les nombres en chiffres, sauf dans les dates, dans les noms des souverains, et bien entendu dans les devoirs et les ouvrages de mathématiques et de sciences.”

Henri Bonnard

Le deuxième ou le second ?

Deuxième se remplace par second lorsque les choses dont on parle sont au nombre de deux seulement :

J’ai eu deux enfants ; le premier est une fille ; le second est un garçon.

Les liaisons dangereuses

Quand vous emploierez le mot *cent*, vous n’imiterez pas ce présentateur de télévision qui s’obstine à dénombrer **deux mille cent-Z-hommes dans le contingent français envoyé en Somalie.* L’ignorance orthographique s’entend tout comme elle se voit.

TEMPÊTE SUR LES RÈGLES

Voulant apprendre sérieusement les règles de formation des pluriels des noms, le jeune Toto a classé les listes de singuliers et les listes de pluriel. Mais sa petite sœur a déchiré ses papiers et un grand coup de vent a fini par tout mélanger. Le voilà bien embarrassé. Il nous soumet une suite de noms échappée au désastre et il vous demande de lui donner, en face de chaque singulier, le pluriel convenable. Quant à la règle correspondante, nous vous l'offrirons en commentaire.

► Vos réponses

			Notes sur 2
1	un bal	des [...................]	
2	un caillou	des [...................]	
3	un clou	des [...................]	
4	un éventail	des [...................]	
5	un fanal	des [...................]	
6	un jeu	des [...................]	
7	un landau	des [...................]	
8	un noyau	des [...................]	
9	un pneu	des [...................]	
10	un vantail	des [...................]	
		Total sur 20	

→ Réponses p. 214

▶ Réponses en vue de l'évaluation

1. bals
2. cailloux
3. clous
4. éventails
5. fanaux
6. jeux
7. landaus
8. noyaux
9. pneus
10. vantaux

▶ Réponses commentées

1. Bals

Le pluriel des noms en *-al* est normalement en *-aux* : *un cheval*, *des chevaux*. Mais sept noms **modernes** font exception : *bal*, *cal*, *carnaval*, *chacal*, *festival*, *pal*, *régal*.

2. Cailloux

Les noms en *-ou* prennent la marque normale du pluriel, qui est un S. À l'exception de sept noms : *bijou*, *caillou*, *chou*, *genou*, *hibou*, *joujou*, *pou*.

3. Clous

Le pluriel correspond à la règle de base.

4. Éventails

Les noms en *-ail* suivent aussi en général la règle du pluriel en S : des *chandails*, *des détails*, *des épouvantails*, *des éventails*, *des gouvernails*, *des poitrails*, *des portails*, *des rails*, etc.

5. Fanaux

Les noms en *-al* font leur pluriel en *-aux*.

Un fanal, des fanaux comme *un cheval*, *des chevaux* (voir encadré).

6. Jeux

Les noms en *-eu* font leur pluriel en *-eux*. *Un vœu, des vœux*, comme *un jeu, des jeux*, *un feu, des feux*, etc.

7. Landaus

C'est une exception à la règle des noms en *-au*, *-eau*, que nous allons rencontrer.

Le mot *landau* est un nom étranger d'introduction récente : dans ces cas-là s'applique la règle la plus générale, chaque fois que c'est possible (pluriel en S). *Landau*, apparu dans notre langue en 1814, désigne une voiture hippomobile qui fut fabriquée d'abord à Landau, ville du Palatinat. Il est probable que les Français découvrirent cette voiture à l'occasion de l'invasion de la France par les Alliés coalisés contre Napoléon ; les princes devaient parader dans leurs *landaus*. Aujourd'hui, le mot s'applique à des voitures d'enfant.

8. Noyaux

Les noms en *-au*, *-eau*, font leur pluriel en *-aux*, *-eaux*, à quelques exceptions près, comme celle qui vient d'être signalée : *un tuyau*, des tuy*aux*, *une eau*, *des eaux*, etc.

9. Pneus

Quelques noms font exception à la règle des pluriels en *-eux*, signalée plus haut (n° 6). Outre le mot *pneu* (abrégé de *pneumatique*), qui est moderne, signalons le nom *bleu*, venu de l'adjectif : *un bleu de travail*, *des bleus de travail*.

10. Vantaux

Sept noms font exception à la règle du pluriel en *-ails* (ci-dessus nº 4) ; ce sont : *bail*, *corail*, *émail*, *soupirail*, *travail*, *vantail*, *vitrail*, qui font : *baux*, *coraux*, *émaux*, *soupiraux*, *travaux*, *vantaux*, *vitraux*.

Comment *un cheval* a pu donner *des chevaux*

La règle du **pluriel en S, règle générale de formation des pluriels**, s'est appliquée aussi à un nom comme *cheval*, donnant *des *chevals*. Mais il s'est produit dans l'ancienne langue un phénomène qu'on nomme la vocalisation du L : le L s'est transformé en voyelle U, formant une diphtongue avec le A (une combinaison de voyelles). Le pluriel est devenu : **chevaus*. Nous vous avons déjà signalé un phénomène semblable à propos du pluriel *fols* (voir encadré du test 28 p. 91). Mais l'évolution du pluriel s'est poursuivie. Par convention d'écriture, *-us* fut souvent représenté par le signe X. On a donc écrit : **chevax* (tout en prononçant : **chevaus*). Pour faire correspondre prononciation et graphie, on a rétabli un U, oubliant qu'il était déjà inclus dans le signe graphique X. Et voilà comment est née la forme *chevaux*. C'est ce qui vous explique que des mots comme *bal* ou *chacal*, entrés dans notre langue après ces transformations, n'aient pas la même forme de pluriel.

ENCORE LES RÈGLES

Cette fois, ce sont les règles du pluriel des adjectifs qui vont vous être soumises… pour que vous vous y soumettiez vous-même.

Nous vous proposons dix expressions où l'adjectif est employé au féminin pluriel. Vous compléterez, dans la partie droite de la grille, l'expression où l'adjectif passe au masculin pluriel (écrire l'adjectif à l'intérieur des crochets).

→ **Exemple** : *des modes nouvelles*, *des habits* [*nouveaux*].

Voici la liste à traiter :

1. des fleurs bleues
2. des attitudes fausses
3. des filles jumelles
4. des paroles amicales
5. des chaises bancales
6. des mesures fiscales
7. des bises glaciales
8. des obligations morales
9. des rencontres navales
10. des salutations cordiales

▶ Vos réponses

		Accord au masculin pluriel	Notes sur 2
1	des fleurs bleues	des manteaux [..................]	
2	des attitudes fausses	des résultats [..................]	
3	des filles jumelles	des enfants [..................]	
4	des paroles amicales	des propos [..................]	
5	des chaises bancales	des pieds [..................]	
6	des mesures fiscales	des abattements [.............]	
7	des bises glaciales	des vents [..................]	
8	des obligations morales	des conseils [..................]	
9	des rencontres navales	des combats [..................]	
10	des salutations cordiales	des entretiens [..................]	
		Total sur 20	

→ Réponses p. 220

Il y a "mille" et "mille"

▶ Voir TEST 31.

1. Le nom de nombre *mille* ne prend pas la marque du pluriel et vous écrirez : “des mille et des cents.”

2. La conjonction de coordination *et*, qui ne s’emploie que dans les nombres 21, 31, 41, 51, 61 et 71, se trouve néanmoins consacrée par l’usage dans l’expression “contes des Mille *et* une Nuits” (mais vous écrirez, par exemple, 71001 = soixante et onze mille un).

3. Enfin, ne confondez pas le nom de nombre *mille* avec le nom *un mille* = mesure de longueur (le bateau a fait naufrage à *quatre milles* de la côte) et ne confondez pas le *mille* des coureurs de demi-fond (1 472,5 m) souvent écrit *mile* comme en anglais (le record du *mile*) et le *mille* marin (1 852 m).

▶ Réponses en vue de l'évaluation

1. bleus
2. faux
3. jumeaux
4. amicaux
5. bancals
6. fiscaux
7. glacials
8. moraux
9. navals
10. cordiaux

▶ Réponses commentées

1. Bleus

Règle : On forme le pluriel des adjectifs en ajoutant un S final. La règle s'applique à la forme du féminin ou du masculin de la plupart des adjectifs qualificatifs et notamment de ceux qui sont terminés par E ou par OU : *des pays froids*, *des pas hésitants*, *des gestes fous*, *des gens aimables*.

2. Faux

Règle : Quand les adjectifs sont terminés au singulier par S ou par X, ils ne changent pas au pluriel : *un gros chat*, *de gros chats*, *un résultat faux*, *des résultats faux*.

3. Jumeaux

Règle : Trois adjectifs font leur masculin pluriel en X au lieu de S : *beau*, *nouveau*, *jumeau*. N'oubliez pas le E de la terminaison au singulier comme au pluriel : *-eau*, *-eaux*. À ces trois adjectifs on ajoute l'adjectif *hébreu* (pluriel : *hébreux*) mais ce mot est rarement employé comme adjectif au pluriel. On dira : *le peuple hébreu* mais on parlera d'un texte "écrit en caractères hébraïques". De plus, cet adjectif *hébreu* est inusité au féminin.

4. Amicaux

Règle : Les adjectifs en *-al* font leur pluriel en *-aux*.

Exemple : *amical*, *brutal*, *cordial*, *fiscal*, *légal*, *moral*, etc. font au pluriel : *amicaux*, *brutaux*, *cordiaux*, *fiscaux*, *légaux*, *moraux*, etc.

Attention ! Pas de E dans ces terminaisons avant *-aux* !

5. Bancals

Exceptions à la règle précédente :

Les adjectifs *bancal*, *fatal*, *final*, *glacial*, *natal*, *naval*, font leur pluriel en S.

6. Fiscaux

Ce pluriel est conforme à la règle générale du pluriel des adjectifs en *-al*.

7. Glacials

Nous sommes, avec cet adjectif, revenus à la liste des six exceptions présentées sous le n° 5.

8. Navals

Encore un adjectif extrait de notre liste des exceptions. Nous vous les donnons dans une phrase qui les fixera dans votre mémoire : "Des marins que les destins *fatals* de leurs combats *navals* avaient rendus ban*cals* contemplaient avec des airs *glacials* les villages *natals* où ils vivraient leurs jours *finals*".

10. Cordiaux

Application de la règle générale du pluriel des adjectifs en *-al*.

LES CAS DE CONSCIENCE

Il y a dans les noms des pluriels à problèmes. Il s'agit du pluriel des noms propres, de celui des noms étrangers et de celui des noms usuels empruntés directement au latin. Comme ces rencontres sont fréquentes, il faut se familiariser avec la bonne orthographe.

Vous aurez à compléter dix phrases en écrivant correctement entre crochets, dans la grille de la page suivante, le pluriel des noms écrits au singulier entre parenthèses dans les phrases ci-après :

1. Les (Condé) étaient des princes de sang.
2. Les (Pasteur) sont rares.
3. Avez-vous vos (ticket) d'entrée ?
4. J'aime entendre les (concerto) de Haendel.
5. Le musicien a composé plusieurs (trio).
6. Vous êtes de parfaits (gentleman).
7. Les révolutionnaires italiens s'appelaient les (carbonaro).
8. Montrez-moi vos (album) de photos.
9. On ne fait plus de longs séjours dans les (sanatorium).
10. Ce couloir de circulation est réservé aux (autobus).

→ **Exemple** : *Les mauvais élèves reçoivent des (pensum)* → Écrire dans la grille : *Les mauvais élèves reçoivent des* [*pensums*]

▶ Vos réponses

		Notes sur 2
1	Les [......................] étaient des princes de sang.	
2	Les [......................] sont rares.	
3	Avez-vous vos [......................] d'entrée ?	
4	J'aime entendre les [......................] de Haendel.	
5	Le musicien a composé plusieurs [......................].	
6	Vous êtes de parfaits [......................] .	
7	Les révolutionnaires italiens s'appelaient les [.................].	
8	Montrez-moi vos [......................] de photos.	
9	On ne fait plus de longs séjours dans les [......................].	
10	Ce couloir de circulation est réservé aux [......................].	
	Total sur 20	

→ Réponses p. 224

▶ Réponses en vue de l'évaluation

1. Condés
2. Pasteur (ou : Pasteurs)
3. tickets
4. concertos (ou : concerti)
5. trios
6. gentlemen
7. carbonari
8. albums
9. sanatoriums (ou : sanatoria)
10. autobus

▶ Réponses commentées

1. Condés

Règle : Précédés de l'article pluriel, les noms propres **peuvent toujours** s'écrire au pluriel.

Cependant l'usage est de réserver le pluriel pour désigner certaines familles illustres : *les Condés*, *les Horaces*, *les Curiaces*, ou pour désigner les sujets représentés par des artistes : des *Hercules*.

2. Pasteur (ou : Pasteurs)

Bien que le pluriel soit admis, en vertu de la règle précédente, il est préférable d'employer ici le singulier car la phrase signifie : "Les gens *comme Pasteur* sont rares." De même, l'usage est de laisser au singulier les noms des familles bourgeoises : "J'ai rencontré les *Durand.*"

3. Tickets

Le pluriel des noms étrangers est en principe marqué par S.

4. **Concertos (ou : concerti)**
Vous écrirez *concertos* en vertu de la règle précédente. Mais il n'est pas rare, surtout dans le langage musical, que ce mot se mette au pluriel selon les règles de la langue d'origine (italienne) : *concerti*.

5. **Trios**
Application de la règle normale. Ce mot est depuis longtemps dans la langue française et très banalisé. “J'en ai connu de ces trios d'individus mal famés !”

6. **Gentlemen**
Pluriel anglais : exception à la règle générale (voir n° 3).

7. **Carbonari**
Encore une exception à la règle générale. Évitez d'employer cette forme au singulier et ne dites pas que “Louis-Napoléon Bonaparte avait été dans sa jeunesse un **carbonari*” ; n'écrivez pas non plus des **carbonaris* avec S.

Vous savez sûrement que les *carbonari* (mot italien qui signifie “charbonniers”) doivent leur nom au fait qu'ils se réunissaient au fond des bois, dans des huttes de charbonniers. Il s'agit d'une société secrète qui s'était constituée en Italie au début du XIXe siècle pour lutter en faveur des idées libérales et préparer l'unité italienne. En France, sous Louis XVIII et sous Charles X (entre 1815 et 1830), une association analogue se forma pour lutter contre les Bourbons revenus “dans les fourgons de l'étranger”. Elle fomenta plusieurs attentats.

8. Albums
Pluriel **obligatoirement** conforme à la règle (n° 3).

9. Sanatoriums ou sanatoria
Sanatorium est un mot savant construit sur le modèle des noms neutres latins (neutre = genre qui n'est ni le masculin, ni le féminin). Le pluriel (neutre) latin est en A : il est donc logique d'écrire *des sanatoria*, ou encore : *un maximum*, *des maxima* — *un minimum*, *des minima* (on parle d'ailleurs du "thermomètre à *maxima* et à *minima*", sur lequel sont indiqués les *maxima* et les *minima* de température) ; on dit encore : *un erratum*, *des errata*, etc. Mais il est admis et bien souvent plus simple de se conformer à la règle générale des pluriels en S : *des sanatoriums*. Il y a quelque prétention à vouloir multiplier les pluriels de type latin en disant par exemple : *un aquarium*, *des aquaria*.

10. Autobus
Ce nom est la contraction de l'expression *auto* + *omnibus* en souvenir du moyen de transport qui s'appelait au siècle dernier : *l'omnibus à chevaux*. Le mot *omnibus* est une forme latine plurielle du pronom *omnes* au datif (complément d'attribution ou de destination) ; un *omnibus* est une voiture destinée à tous les voyageurs et devant s'arrêter *à toutes les stations* (le pronom *omnes* = tous, toutes). Dans son utilisation française, il est évident que le mot est invariable. De plus, se terminant par un S, il ne saurait prendre d'autre marque de pluriel (surtout pas celle du pluriel en I, forme latine qui ne pourrait convenir à un cas complément d'attribution).

Les “aquaria” et les “autobi”

Un professeur de biologie, fort savant mais un peu précieux, disait qu’il avait fort à faire pour se rendre chaque jour, pendant les vacances, au laboratoire de son lycée afin d’y renouveler l’eau de ses *aquaria*. Son collègue littéraire répondit, imperturbable :

“Heureusement que, pour gagner du temps, vous pouvez prendre les *autobi*.”

EN PLUSIEURS MORCEAUX

Le pluriel des noms composés est sujet à des controverses. Mais le sens de l'expression reste le guide. On ne vous reprochera pas d'écrire au singulier : *un porte-clé*, même si les puristes font observer qu'*un porte-clés* porte généralement plusieurs *clés*. Vous objecterez que le vôtre n'en porte qu'une. En revanche, on n'admettra pas que vous écriviez *des* **porte-clé* car il n'est pas possible qu'il n'y ait qu'une clé dans un ensemble de *porte-clés*. Nous n'allons pas vous torturer avec de telles subtilités et nous vous présenterons des noms "en plusieurs morceaux", mais sans mystère. Si, à l'occasion, deux solutions sont logiques, nous les admettrons.

Vous allez donc trouver, dans la grille des réponses, une colonne de gauche réservée aux singuliers et une colonne de droite réservée aux pluriels. Là où nous vous donnerons le singulier, vous mettrez le pluriel correspondant et *vice versa*.

Si nous vous donnons à gauche : *un gardien-chef*, vous écrirez à droite : *des* [*gardiens-chefs*] ; si nous vous donnons à droite : *des turbo-alternateurs*, vous écrirez à gauche : un [turbo-alternateur].

▶ Vos réponses

	Singuliers	Pluriels	Notes sur 2
1	un nouveau-né	des [......................]	
2	une [......................]	des avant-gardes	
3	un qu'en-dira-t-on	des [......................]	
4	un [......................]	des va-nu-pieds	
5	un Gallo-Romain	des [......................]	
6	un [......................]	des chars à bancs	
7	un gentilhomme	des [......................]	
8	un chou-fleur	des [......................]	
9	un garde-manger	des [......................]	
10	un perce-oreille	des [......................]	
		Total sur 20	

→ Réponses p. 230

▶ Réponses en vue de l'évaluation

1. nouveau-nés
2. avant-garde
3. qu'en-dira-t-on
4. va-nu-pieds
5. Gallo-Romains
6. char à bancs
7. gentilshommes
8. choux-fleurs
9. garde-manger (ou : garde-mangers)
10. perce-oreilles

▶ Réponses commentées

1. Nouveau-nés

Nouveau a une valeur d'adverbe et reste invariable. De même on dira : *des fillettes nouveau-nées* (= nouvellement nées).

2. Avant-garde

Le mot *garde* s'écrit au singulier car il s'agit de *la garde* qui est en avant (et non pas d'une formation qui serait “avant les gardes”). Bien entendu, quand l'expression passe au pluriel, le mot *garde* reçoit le S. Il s'agit cette fois *des gardes* qui sont “en avant”. Voici, au pluriel, quelques noms composés avec l'élément *avant* (adverbe) : *des avant-becs* (angle d'une pile de pont du côté amont), *des avant-bras* (le S de bras au singulier comme au pluriel, évidemment !), *des avant-corps* (même remarque ; il s'agit de corps de bâtiment formant saillie) ; retenez aussi des adjectifs comme : *avant-coureurs* (*des signes avant-coureurs* : pas d'emploi au féminin !), *les avant-derniers candidats* (*les avant-dernières candidates*), etc.

3. **Qu'en-dira-t-on**
Règle : Quand le nom composé s'écrit en plusieurs mots, on ne peut mettre au pluriel que les mots qui seraient au pluriel dans l'expression développée. Ainsi, nous avons pu écrire : *des avant-gardes*, puisqu'il s'agit *des gardes* qu'on place en avant. Mais on devra écrire :

— *les qu'en-dira-t-on* (observez et respectez l'apostrophe et les trois traits d'union)
— *les sauve-qui-peut*
— *des sot-l'y-laisse*
— *des coq-à-l'âne*
— *des tête-à-tête*
— *des va-et-vient*, etc.

4. **Va-nu-pieds**
C'est aussi le cas de ce mot composé qui a la même forme au singulier et au pluriel. Ce serait une faute d'accorder *nu* (cet adjectif **ne s'accorde pas devant le nom**) et ce serait également une faute d'écrire *pied* au singulier, car *le va-nu-pieds*, sauf s'il est unijambiste ! ne marche pas avec un seul pied. Vous ne pouviez pas commettre de faute sur *nu*, mais peut-être en avez-vous commis une sur *pieds*.

5. **Gallo-Romains**
Règle : Dans les noms composés qui contiennent un élément d'origine étrangère, cet élément reste invariable. Nous vous avions d'ailleurs donné l'exemple de *turbo-alternateur* (*des turbo-alternateurs*).

6. **Char à bancs**
Le S de *bancs* demeure au singulier car ce qui caractérise *le char à bancs* c'est qu'il comporte

plusieurs bancs. Il n'y a pas de tolérance pour ce mot.

7. Gentilshommes

Ce mot, quoique soudé, comporte deux fois la marque du pluriel, dont une fois à l'intérieur du mot. Le S intérieur **doit être entendu dans la prononciation**. La première partie du mot, l'adjectif *gentil*, vient de l'adjectif latin *gentilis* qui veut dire "de bonne race", donc "noble" (rapprochez du mot latin *gens*, qui désigne l'ensemble constitué par une famille patricienne — noble — à Rome).

Pluriels identiques : *bonshommes*, *messieurs*, *mesdames*, etc.

8. Choux-fleurs

Deux noms apposés prennent tous deux la marque du pluriel : *des choux-fleurs*, *des oiseaux-mouches*, *des chefs-lieux*, etc.

Il en est de même pour un nom avec un déterminant adjectif : *des sages-femmes* (mais souvenez-vous qu'on écrit : *des prud'hommes*, *des grand-mères*, etc.

9. Garde-manger ou garde-mangers

Ce sont des meubles destinés à "garder le manger". Il vaut donc mieux, en bonne logique, ne pas mettre de marque du pluriel à *manger* mais le S est admis.

10. Perce-oreilles

Dans un groupe constitué par un verbe et son complément, le verbe reste toujours à la 3e pers. du sing. mais le complément prend ou non la marque du pluriel selon le sens (voir ci-dessus : *garde-manger*). Ici, il est plus logique de parler des *oreilles* alors qu'il ne s'imposait pas de parler des "*mangers*" ; aussi le S est-il obligatoire au pluriel.

Les adjectifs de couleur nous réservent quelques surprises.

DE TOUTES LES COULEURS

Disons que leur accord est… chatoyant. Allez-vous vous y reconnaître, mettre au pluriel ceux qui doivent l'être, et seulement ceux-là ?

Vous le verrez, on peut trouver quelques règles simples pour élucider cette question.

Vous commencerez par mesurer votre force en faisant accorder (colonne de droite de la grille) les adjectifs que nous vous aurons présentés au singulier dans la colonne de gauche.

▶ Vos réponses

	Expressions au singulier	Expressions au pluriel	Notes sur 2
1	une rose thé	des roses [...........]	
2	une robe cerise	des robes [...........]	
3	un tissu amarante	des tissus [...........]	
4	un pantalon garance	des pantalons [...........]	
5	une rose écarlate	des roses [...........]	
6	une tenture pourpre	des tentures [...........]	
7	un chemisier rose	des chemisiers [...........]	
8	un tablier bleu	des tabliers [...........]	
9	un corsage bleu marine	des corsages [...........]	
10	un œil noir de jais	des yeux [...........]	
		Total sur 20	

→ Réponses p. 234

▶ Réponses en vue de l'évaluation

1. thé
2. cerise
3. amarante
4. garance
5. écarlates
6. pourpres
7. roses
8. bleus
9. bleu marine
10. noir de jais

▶ Réponses commentées

1. Thé

Les adjectifs de couleur prennent la marque du pluriel sauf certains adjectifs nouveaux qui, en fait, dérivent de noms, comme c'est le cas ici. Il faut rétablir l'expression complète : *des roses de la couleur du thé* ce qui vous montre que le caractère invariable du qualificatif est logiquement justifié.

2. Cerise

Nous sommes en présence du même cas ; il se reproduit avec d'autres noms dans un emploi d'adjectif qualificatif de couleur. En voici une liste (qui n'est que partielle, mais que le raisonnement formulé ci-dessus, sous le n° 1, vous permettra de compléter à l'occasion) : *amarante*, *carmin*, *cerise*, *garance*, *grenat*, *marron*, *noisette*, *orange*, *olive*, *paille*, *tango*, *thé*, etc.

Et rappelez-vous que le domaine des couleurs et des nuances est infini. Il se crée sans cesse de nouveaux qualificatifs, empruntés le plus souvent au champ lexical des fleurs, des fruits, de la nature en général.

3. **Amarante**
Cet adjectif, invariable, vous a été donné dans la liste ci-dessus (n° 2). *L'amarante* (nom féminin) est une fleur d'automne ordinairement d'un rouge de pourpre velouté.

4. **Garance**
Adjectif qui appartient à la même série que le précédent. Il vient du nom *garance* (féminin), genre de rubiacées dont les racines fournissent des matières colorantes rouges. C'était avec de la garance que l'on teignait, avant 1914, les pantalons des fantassins français. Cette couleur voyante fut fatale à beaucoup de combattants mais on avait hésité à renoncer aux pantalons *garance* en raison de l'opposition des fabricants du produit. Il existe encore à Paris une rue *Garancière* (6e arrondissement) en souvenir d'un atelier où l'on teignait les pantalons en *garance*.

5. **Écarlates**
Vous avez donc bien retenu la règle selon laquelle les adjectifs de couleur issus de noms restaient invariables. Cette règle connaît trois exceptions : *écarlate*, *pourpre* et *rose*, qui prennent tous trois la marque du pluriel.

6. **Pourpres**
Deuxième exception à la règle.
Pourpre vient cependant aussi d'un nom féminin, dérivé du grec *porphyra* (voyez, en français : *porphyre*).

7. **Roses**
Troisième exception, bien connue. L'adjectif vient lui aussi d'un nom (*la rose*), en raison de la couleur ordinaire de cette fleur, intermédiaire entre le

rouge et le blanc, bien que les horticulteurs aient trouvé depuis quantité d'autres tons pour leurs roses.

8. **Bleus**
Accord normal de l'adjectif qualificatif qui, dans ce cas, n'a pas un nom pour origine.

9. **Bleu marine**
Règle : Quand un adjectif de couleur (qui devrait s'accorder avec le nom qu'il qualifie) est suivi d'un complément relatif à la nuance, il est invariable : *des cheveux châtain clair*, *des murs gris cendré*, *des velours gros bleu*, *des draps blanc-bleu*, *des tentures jaune citron*, *des rideaux rouge cerise*, etc.
On sous-entend : *des cheveux d'un châtain clair* (il s'agit du *ton châtain*, représenté par l'adjectif substantivé *un châtain* ; d'où le singulier, et l'accord, au singulier, de l'adjectif qui se rapporte à *un châtain*).

10. **Noir de jais**
Nous sommes en présence du même cas. Il faut interpréter : *d'un noir de jais*.

ÉVALUATION RÉCAPITULATIVE DU CHAPITRE VI

Numéro du test		Note sur 20
31	SAVEZ-VOUS ÉCRIRE LES NOMBRES ?	
32	TEMPÊTE SUR LES RÈGLES	
33	ENCORE LES RÈGLES !	
34	LES CAS DE CONSCIENCE	
35	EN PLUSIEURS MORCEAUX	
36	DE TOUTES LES COULEURS	

Total sur 120

Note sur 20 (total divisé par 6)

VII

Accordons-nous

Nous voici maintenant aux prises avec la question des accords. Il faut savoir que les fautes contre les accords sont les moins pardonnables. En effet, s'il est permis de se perdre un peu dans certaines fantaisies imprévisibles de l'orthographe d'usage, si la formation des féminins et des pluriels recèle parfois des mystères qui défient le sens commun et s'il est vrai que, dans tous ces cas, le recours au dictionnaire (qu'il faut toujours avoir auprès de soi) vous donnera une réponse immédiate, les règles qui président aux accords relèvent presque toutes de la logique et une faute trahit ici une erreur de pensée ou une ignorance de la syntaxe.

Supposons que j'écrive "*Quelle que* soit la bonne réponse, la question est dépassée", je veux dire : "Peu importe la réponse" ; je me prononce **sur le fait de répondre**. Mais si j'écris "*Quelque bonne que* soit la réponse, elle est insuffisante", je veux dire "Peu importe la qualité de la réponse" ; je me prononce en effet **sur la qualité de la réponse**. Vous voyez que logiquement on ne saurait confondre *quel que* et *quelque*.

Si pour écrire : “Ils se sont succédé” j’ajoute un S intempestif au participe *succédé*, je conjugue le verbe comme s’il s’agissait de l’expression : “succéder quelqu’un” alors que le verbe se construit : “succéder *à* quelqu’un”. J’ai confondu la construction transitive et la construction intransitive : j’ai donc ignoré la syntaxe française.

Nous consacrerons six tests à la question des accords, mais nous aurons l’occasion de revenir sur le problème, notamment dans le dernier chapitre.

TEST 37 : *Singulier ou pluriel ?*

TEST 38 : *Feu ma belle-mère*

TEST 39 : *M.Q.T.*

TEST 40 : *Le pape, combien de divisions ?*

TEST 41 : *Sa majesté le verbe*

TEST 42 : *La fameuse règle des participes*

SINGULIER OU PLURIEL ?

En règle générale, pour l'accord des noms, le choix entre le singulier et le pluriel (comme le choix entre le féminin et le masculin) est précisé par la présence du déterminant (article, adjectif possessif ou démonstratif, etc.) : *un cahier*, *mon cahier*, *ce cahier*, etc. Mais il y a des cas particuliers : nous allons les découvrir dans les phrases suivantes. Dans ces phrases, le nom ou les noms vous seront indiqués entre parenthèses au singulier. Il vous appartiendra de les écrire sous leur forme définitive (singulier ou pluriel), à l'intérieur des crochets, dans les mêmes phrases répétées sur la grille de réponse.

→ **Par exemple**, si vous trouvez la phrase : "Je serai absent les (lundi et mardi) de chaque semaine", vous aurez sur la page des réponses la même phrase : "Je serai absent les [............] de chaque semaine " et vous écrirez entre crochets : "*lundi et mardi*" (il n'y a en effet qu'un lundi et qu'un mardi chaque semaine).

1. Mon percepteur demeure 3, place du 11e (chasseur).
2. Tes (père et mère) tu honoreras.
3. Je recevrai les (jeudi et samedi).
4. Il a consacré à son travail plus d'un millier d'(heure).
5. Je distille des fruits à (noyau).
6. Vous pourrez admirer dans l'hospice de Beaune des batteries de (cuisine) rutilantes.
7. L'ennemi a tenté d'enrayer notre attaque en disposant des batteries de (pièce lourde).
8. J'ai offert un sac de (bille) à mon petit voisin.
9. Je porte un gilet sans (manche).
10. J'éprouve une satisfaction sans (mélange).

▶ Vos réponses

		Notes sur 2
1	Mon percepteur demeure 3, place du 11e [.......................].	
2	Tes [.......................] tu honoreras.	
3	Je recevrai les [.......................].	
4	Il a consacré à son travail plus d'un millier d'[.......................].	
5	Je distille des fruits à [.......................].	
6	Vous pourrez admirer dans l'hospice de Beaune des batteries de [............] rutilantes.	
7	L'ennemi a tenté d'enrayer notre attaque en disposant des batteries de [.......................].	
8	J'ai offert un sac de [.......................] à mon petit voisin.	
9	Je porte un gilet sans [.......................].	
10	J'éprouve une satisfaction sans [.......................].	
	Total sur 20	

→ Réponses p. 244

▶ Réponses en vue de l'évaluation

1. chasseurs
2. père et mère
3. jeudis et samedis
4. heures
5. noyau
6. cuisine
7. pièces
8. billes
9. manches
10. mélange

▶ Réponses commentées

1. Chasseurs

Dans l'expression *11e chasseurs*, le mot *chasseurs* est au pluriel, très logiquement, car il s'agit d'une expression elliptique consacrée pour dire : "onzième régiment de *chasseurs*" (le mot *régiment* est sous-entendu : on dit qu'il y a "ellipse du mot").

2. Père et mère

Chacun n'a qu'un père et qu'une mère. Le pluriel de l'adjectif possessif résulte de l'addition des deux singuliers.

3. Jeudis et samedis

À la différence de l'expression citée dans la phrase que nous vous donnions en exemple ("les lundi et mardi de chaque semaine"), il ne s'agit plus ici du jeudi et du samedi d'une seule semaine, mais de tous les jeudis et de tous les samedis (un nombre indéterminé). Mais vous écrirez : "Voici mes nom et adresse" ou : "Donnez-moi vos nom et prénom" (S à prénoms dans la supposition qu'il y en ait plusieurs).

4. **Heures**
Parmi les mots qui indiquent toujours le pluriel du nom, outre les déterminants comme l'article (les, des), les possessifs et démonstratifs (mes, ces, etc.), les adjectifs numéraux (deux, trois, etc.), il faut retenir les collectifs comme : *une foule*, *une multitude*, *une dizaine*, *une centaine*, *un millier*, etc.

5. **Noyau**
Le sens indique que le nom complément doit rester au singulier dans une expression comme "fruits à *noyau*" car chaque fruit n'a qu'un noyau. En revanche, vous direz que la pomme est un "fruit à *pépins*". Voyez de même des expressions comme "des œuvres d'*art*" (des œuvres qui relèvent de *l'art*), "des jeux d'*adresse*" (des jeux qui demandent de l'*adresse*) mais : "un carnet d'*adresses*" (un tel carnet contient de nombreuses *adresses*), etc.

6. **Cuisine**
À propos de "batteries de *cuisine*", il s'agit des batteries de *casseroles* (notez le pluriel : les casseroles sont nécessairement nombreuses) qu'on trouve dans *la cuisine* ou dans *chaque cuisine* (d'où le singulier).

7. **Pièces**
En revanche, même les gens les moins informés des choses militaires savent qu'une batterie d'artillerie compte plusieurs pièces.

8. Billes

Même type d'accord. Mais s'il s'agit d'un sac de *blé*, vous écrirez *blé* au singulier, car *blé* désigne un produit et non un ensemble d'objets. Vous pourrez toutefois parler d'un *sac de grain* (si vous voulez parler du *grain*, comme substance) ou de *grains* (si vous songez à l'apparence des nombreux grains qui remplissent le sac). Dans ce dernier cas, aucune faute ne saurait vous être imputée.

9. Manches

Après la préposition *sans*, vous mettrez le nom au singulier ou au pluriel selon qu'à la forme positive vous auriez employé ce nombre. Puisque vous écrivez *un gilet à manches* (il a deux manches), il est logique d'écrire : *un gilet sans manches* (il n'a pas *ses manches*).

10. Mélange

En appliquant la règle du bon sens, vous ne vous exposerez pas à mettre le mot au pluriel puisqu'on ne peut parler que *du mélange* (au sens abstrait) et non pas *des mélanges* comme *les mélanges détonants* ou *les mélanges gazeux* (réalités concrètes).

Vous direz aussi de Bayard qu'il fut appelé le Chevalier sans peur et sans reproche : il n'a ni connu la *peur*, ni encouru *le reproche* (la réprobation). Dans une formule plus banale, vous pourriez écrire de quelqu'un qu'il n'est pas *sans reproches* (si vous songez qu'on a pu lui faire *des reproches*) ou qu'il n'est pas *sans reproche* (si vous pensez qu'il a pu n'encourir qu'*un seul reproche*). C'est là encore un cas où aucune faute ne saurait vous être comptée.

FEU MA BELLE-MÈRE

L'accord des adjectifs est relativement aisé, quand on sait comment chacun d'eux forme son féminin et son pluriel, ce que vous avez appris dans les chapitres V et VI. Mais il faut se souvenir de quelques règles simples et de quelques adjectifs un peu particuliers, mais d'usage fréquent, comme celui que nous présentons dans le titre de ce test.

Nous vous donnons quelques phrases où l'adjectif mis entre parenthèses n'est pas accordé : c'est vous qui vous chargerez de cet accord, en l'écrivant correctement entre les crochets sur la grille des réponses.

Avoir une orthographe correcte est une forme d'élégance.

Avoir une orthographe correcte est une forme de politesse.

1. C'est une pluie de deuil (terrible et désolé).
2. Je trouve vos réponses (correct).
3. Il porte une cravate et un chapeau (noir).
4. Que feriez-vous si vous aviez la main ou le pied (écrasé) ?
5. J'arriverai dans une (demi)-heure.
6. Il sera alors six heures et (demi).
7. À la (mi)-août quel beau temps pour les matous !
8. Il a des papiers (plein) les tiroirs.
9. Il a aussi les poches (plein).
10. Le notaire a ouvert le testament de ma (feu) belle-mère.

▶ Vos réponses

		Notes sur 2
1	C'est une pluie de deuil [............].	
2	Je trouve vos réponses [............].	
3	Il porte une cravate et un chapeau [............].	
4	Que feriez-vous si vous aviez la main ou le pied [............] ?	
5	J'arriverai dans une [............]-heure.	
6	Il sera alors six heures et [............].	
7	À la [............]-août quel beau temps pour les matous.	
8	Il a des papiers [............] les tiroirs.	
9	Il a aussi les poches [............].	
10	Le notaire a ouvert le testament de ma [............] belle-mère.	
	Total sur 20	

→ Réponses p. 250

▶ Réponses en vue de l'évaluation

1. terrible et désolée
2. correctes
3. noirs
4. écrasé
5. demi
6. demie
7. mi
8. plein
9. pleines
10. feue

▶ Réponses commentées

1. Terrible et désolée

C'est une pluie de deuil *terrible et désolée.*

(Prévert, "Barbara")

Règle : L'adjectif épithète s'accorde avec le nom auquel il se rapporte, même s'il en est éloigné. *Terrible* (même forme pour le masculin et pour le féminin) et *désolée* s'accordent tous deux avec le nom *pluie* (bien qu'ils en soient séparés par le complément déterminatif *deuil*). C'est l'analyse qui doit vous permettre d'identifier la relation entre les mots d'une phrase. Une erreur d'accord montrerait que vous n'avez pas analysé correctement la phrase, donc que vous ne l'avez pas comprise.

2. Correctes

Je trouve vos réponses *correctes.*

Règle : L'adjectif attribut s'accorde comme l'épithète. Quand il est attribut du sujet, il s'accorde avec le sujet : Vos réponses sont *correctes*. Dans la phrase proposée, l'adjectif était attribut du complément d'objet direct *réponses* : il s'accorde avec ce complément d'objet direct. Dans la phrase "Tenez vos vêtements *propres*", l'adjectif *propres* s'accorde avec le nom *vêtements*, auquel il se rapporte (sans être pour autant épithète).

3. Noirs

Il porte une cravate et un chapeau *noirs*.

Règles : a) Deux singuliers valent un pluriel.
b) Le masculin l'emporte sur le féminin.

Encore faut-il avoir compris que les deux objets sont concernés par l'adjectif. Une fois de plus, nous constatons que l'orthographe est d'abord un exercice de réflexion pour la bonne compréhension du texte.

4. Écrasé

Que feriez-vous si vous aviez la main ou le pied *écrasé* ?

Règle : Quand deux adjectifs se rapportent à des noms unis par *ou*, ils se mettent au pluriel s'ils se rapportent aux deux noms : *un gilet ou un pull noirs* ; et ils restent au singulier s'ils se rapportent à **l'un des noms à l'exclusion de l'autre** : *la main ou le pied écrasé*.

Dans la phrase qui vous était proposée, on envisageait une cruelle alternative, mais pas les deux malheurs à la fois, car on vous aurait dit alors : *la main et le pied écrasés*.

5. Demi

J'arriverai dans une *demi-heure*.

Règle : Les adjectifs *nu* et *demi* sont invariables avant le nom et s'accordent s'ils sont placés après lui.
Elle marche *nu-pieds* ; elle marche *pieds nus*.

Une *demi-heure* ; une heure et *demie*.

Retenez la présence du trait d'union lorsque les adjectifs *nu* et *demi* sont placés devant le nom.

6. Demie

Il sera six heures *et demie*.

L'accord se fait entre *demie* et *heure* puisque l'adjectif est après le nom. Mais attention : *demie* est au singulier car il n'est pas question de la moitié des six heures, mais de la moitié de **l'heure suivante** ! De même, vous écrirez : *dix litres et demi*, *cinq mètres et demi*, *deux tonnes et demie*, etc.

7. Mi

"À la *mi-août* quel beau temps pour les matous !" disait une chanson.

Retenez que *mi-* est invariable (et lié par un trait d'union au nom auquel il se rapporte) : *des mi-bas*, *les yeux mi-clos*.

8. Plein

Il a des papiers *plein* les tiroirs.

Règle : *Franc*, *haut* et *plein*, placés **devant** le nom, restent invariables **dans des expressions fixées** comme : *franc de port* (on dit plus souvent, en employant le mot italien : *franco de port*), *haut les mains*, *plein les poches*. Vous remarquerez que l'adjectif est aussi **avant l'article**. C'est en fait une espèce d'adverbe : c'est pourquoi il est invariable.

9. Pleines

Il a aussi les poches *pleines*.

Après le nom, l'adjectif s'accorde. De plus, en dehors des expressions fixées du type de celles qui vous sont signalées plus haut, les adjectifs en question s'accordent, même devant le nom : *ils jettent les hauts cris*, *ce sont de francs imbéciles*, *ils chargent de pleines corbeilles*, etc.

10. Feue

Le notaire a ouvert le testament de ma *feue* belle-mère.

Feu est une forme ancienne venue du participe passé populaire latin **fatutus*, de *fatum* (destin) = qui a accompli son destin, qui est mort. Le terme est toujours employé dans le langage juridique. C'est ce qu'on appelle un "euphémisme", c'est-à-dire une façon moins choquante d'exprimer une réalité (ici : la mort).

Ce curieux adjectif est invariable quand il est placé avant l'article ou avant le possessif (voir les cas signalés au n° 8) : *feu ma belle-mère*, "*Feu la mère de Madame*" (titre d'un vaudeville) ; mais il s'accorde dans les autres cas : *ma feue belle-mère*, *la reine feue*. Le titre du test et la question 10 vous faisaient une petite malice.

M.Q.T.

Ce sigle mystérieux veut simplement attirer votre attention sur les adjectifs indéfinis *même*, *quelque*, *tout*, qui sont l'occasion de confusions et de fautes fréquentes.

Toute la difficulté va être pour vous de les écrire correctement dans la grille des réponses correspondant aux dix phrases suivantes.

1. Les enfants se surveilleront eux-(même).
2. Ils iront (même) à pied.
3. Ce film est accessible à (tout) public.
4. Ce film est autorisé à (tout) les publics.
5. Les quatre sœurs étaient (tout) assises dans le salon.
6. La plus âgée se déclara (tout) heureuse de me voir.
7. Mais elle était (tout) confuse de m'avoir fait attendre.
8. Voilà (quelque ? quel que ?) trente ans que j'annonce la chose.
9. (Quelque ? Quel que ?) solides que soient les poutres, elles ne sauraient résister.
10. (Quelque ? Quel que ?) soient vos mérites, ils ne suffisent pas.

Dans les trois dernières phrases, vous avez non seulement à choisir entre la forme en un seul mot et la forme en deux mots, mais à faire le bon accord. La réponse ne sera valable que sans aucune erreur.

▶ Vos réponses

		Notes sur 2
1	Les enfants se surveilleront eux-[............].	
2	Ils iront [............] à pied.	
3	Ce film est accessible à [............] public.	
4	Ce film est autorisé à [............] les publics.	
5	Les quatre sœurs étaient [............] assises dans le salon.	
6	La plus âgée se déclara [............] heureuse de me voir.	
7	Mais elle était [............] confuse de m'avoir fait attendre.	
8	Voilà [............] trente ans que j'annonce la chose.	
9	[............] solides que soient les poutres, elles ne sauraient résister.	
10	[............] soient vos mérites, ils ne suffisent pas.	
	Total sur 20	

→ Réponses p. 256

▶ Réponses en vue de l'évaluation

1. mêmes
2. même
3. tout
4. tous
5. toutes
6. tout
7. toute
8. quelque
9. quelque
10. quels que

▶ Réponses commentées

Les enfants se surveilleront eux-*mêmes.*

→ **Règle générale**

Même, *quelque*, *tout*, lorsqu'ils sont adjectifs indéfinis, varient. Lorsqu'ils sont adverbes, ils sont invariables. Ils sont adjectifs indéfinis quand ils se rapportent à un nom ou à un pronom. Ils sont adverbes quand ils se rapportent à un adjectif, à un verbe ou à un autre adverbe. Dans le cas de la phrase n° 1, *même* se rapporte à un pronom : c'est un adjectif et il s'accorde.

2. Même

Ils iront *même* à pied.

Ici, le mot *même* se rapporte à l'action *d'aller*, donc au verbe. C'est un adverbe : il est invariable. Il existe des cas où la distinction est subtile et correspond à une nuance de la pensée. Vous pouvez écrire : "Je pardonne à mes ennemis *même*" c'est-à-dire : "Je pardonne *même* à mes ennemis" (voir la phrase n° 2). Mais vous pouvez écrire également "Mes ennemis *mêmes* me rendent justice", c'est-à-dire : "Mes ennemis *eux-mêmes* me rendent justice". Faites également attention au cas où *même*, adjectif, se rapporte à un pronom personnel mis au pluriel de politesse : "Voyez vous-*même*, Madame".

3. Tout

Ce film est accessible à *tout* public.

Tout est un adjectif. Il s'accorde avec le nom *public*, au masculin singulier. Vous diriez aussi : "Il est accessible à *toute* personne".

4. Tous

Ce film est autorisé à *tous* les publics.

C'est le même cas, mais l'adjectif est au masculin pluriel, puisque le nom *publics* est du masculin pluriel.

5. Toutes

Les quatre sœurs étaient *toutes* assises dans le salon.

Le mot *toutes*, étant ici un pronom indéfini, se met naturellement au genre et au nombre des personnes qu'il représente : féminin pluriel.

6. Tout

La plus âgée se déclara *tout* heureuse.

Le mot *tout* est cette fois un adverbe invariable. Pour le reconnaître à coup sûr dans des phrases comme celle-là, remplacez-le mentalement par l'adverbe *entièrement* ; vous diriez en effet : "La plus âgée se déclara *entièrement* heureuse".

7. Toute

Mais elle était *toute* confuse.

Attention à cette importante exception. Dans la phrase qui vous est proposée, *toute*, contrairement à l'apparence, est bien **un adverbe**. Vous pourriez dire en effet : "Elle était *entièrement* confuse". Mais, dans ce cas, *tout* varie devant un adjectif féminin commençant par une consonne ou par un H aspiré : "Elles sont *toutes* honteuses".

Cette règle a pour but d'éviter un hiatus (sorte de heurt produit par la rencontre de deux syllabes sans élision). Il s'agit donc d'une raison d'euphonie : éviter un désagrément pour l'oreille.

Apprenez encore à distinguer : "Les filles étaient *tout* angoissées" (adverbe) mais : "Les filles étaient *toutes* angoissées" (pronom = *toutes* les filles étaient angoissées).

Cette distinction n'est malheureusement plus possible avec "confuses". Quand j'écris "Elles étaient toutes confuses", il est impossible de savoir si je veux dire qu'elles l'étaient *toutes* (sans exception) ou qu'elles l'étaient *complètement* (tout à fait).

8. Quelque

Voilà *quelque* trente ans que j'annonce la chose.

Quelque est ici un adverbe, donc invariable. Vous l'identifierez facilement en le remplaçant par l'adverbe *environ*. Vous diriez en effet : "voilà *environ* trente ans".

Ne confondez donc pas avec l'adjectif *quelque* : "Voilà *quelques* années que j'annonce la chose". Et écrivez toujours *quelque temps* sans S à *quelque*.

9. Quelque

Quelque solides que soient les poutres, elles ne sauraient résister.

Quelque appartient à la locution adverbiale *quelque... que*. Vous l'identifierez en la remplaçant mentalement par : *si... que* et vous direz : "*Si* solides *que* soient les poutres...” Donc le mot *quelque* est invariable et s'écrit en un seul mot.

10. Quels que

Quels que soient vos mérites.

Cette fois, au contraire, nous avons affaire à un adjectif indéfini qui varie (*quels*) suivi d'une conjonction de subordination (*que*) introduisant une proposition de supposition toujours au subjonctif : *Quel que soit* ton mérite ; *quelle que fût* sa sagesse, il lui arrivait de se tromper ; *quelle qu'ait été* sa beauté, elle est fanée. Cet emploi se rencontre devant les verbes *être*, *sembler*, *devenir*, *paraître*.

LE PAPE, COMBIEN DE DIVISIONS ?

Vous connaissez la boutade célèbre de Staline. Elle vous rappellera que les adjectifs numéraux indéfinis (ou adverbes de quantité) : *combien*, *force*, *beaucoup*, etc., entraînent le pluriel après eux. Mais… pas toujours. Dans les phrases que vous allez lire, il s'agira de mettre à la forme correcte le mot entre parenthèses : ce sera parfois un nom, parfois un verbe. Vous écrirez comme d'habitude vos réponses à l'intérieur des crochets de la grille.

1. Combien d'(heure) avez-vous travaillé ?
2. Combien de (blé) pensez-vous récolter à l'hectare ?
3. Combien de (dévouement) chez mon médecin !
4. Il y a peu de (billet) de banque dans le coffre.
5. J'ai avalé en vain force (remède).
6. Les pays du tiers monde comptent beaucoup d'(enfant).
7. La plupart (souffrir) de la faim.
8. Malgré nombre d'(intervention), leur sort ne s'améliore pas.
9. Je ne compte que sur peu de (réconfort).
10. J'aurais besoin de peu de (livre).

▶ Vos réponses

		Notes sur 2
1	Combien d'[............] avez-vous travaillé ?	
2	Combien de [............] pensez-vous récolter à l'hectare ?	
3	Combien de [............] chez mon médecin !	
4	Il y a peu de [............] de banque dans le coffre.	
5	J'ai avalé en vain force [............].	
6	Les pays du tiers monde comptent beaucoup d'[............].	
7	La plupart [............] de la faim.	
8	Malgré nombre d'[............], leur sort ne s'améliore pas.	
9	Je ne compte que sur peu de [............].	
10	J'aurais besoin de peu de [............].	
	Total sur 20	

→ Réponses p. 262

Réponses en vue de l'évaluation

1. heures
2. blé
3. dévouement
4. billets
5. remèdes
6. enfants
7. souffrent
8. interventions
9. réconfort (ou réconforts)
10. livres

Réponses commentées

1. Heures

La règle générale est donc que les adjectifs numéraux indéfinis *combien*, *force*, *beaucoup*, *la plupart*, *peu*, *nombre*, veulent le pluriel. En fait, ces mots, appelés *adjectifs* par certains grammairiens, sont plus justement appelés *adverbes* par d'autres, car ils sont invariables. *Combien* est, par exemple, rangé dans les adverbes interrogatifs de quantité et dans certains cas, parmi les adverbes exclamatifs (ô combien de marins !...). Mais on les assimile à des adjectifs numéraux comme *deux*, *trois*, *quatre*, etc., qui sont, nous l'avons vu, invariables généralement eux aussi. Peu importe d'ailleurs, en ce qui concerne l'orthographe. L'important est de distinguer les cas où ils sont suivis du pluriel (exemple n° 1) et ceux où ils sont suivis du singulier (voir ci-après).

2. Blé

Nous avons ici un cas où le singulier s'impose après *combien*. C'est qu'avec le nom *blé* nous avons affaire à un nom exprimant une *notion continue* ou non *dénombrable*. Ici le blé est considéré comme un produit. Opposez une expression comme “les blés sont mûrs” où l’on évoque non plus la denrée, mais l’image des plantes sur pied.

3. **Dévouement**
C’est le même cas. Les noms *abstraits* (évoquant des qualités, des attitudes, des sentiments : *la générosité*, *le courage*, *la pitié*, etc.) ne sont pas dénombrables, sauf quand on évoque leur traduction en actes précis : “De nombreuses générosités se sont manifestées à l’occasion de cet appel.”

4. **Billets**
Il s’agit bien ici d’espèces dénombrables ! Même si le possesseur du coffre déplore d’en dénombrer trop peu.

5. **Remèdes**
Je n’ai pas avalé un seul remède mais des quantités de remèdes, que l’on peut dénombrer.

6. **Enfants**
Les êtres sont par nature dénombrables, même s’il arrive qu’on les dise… innombrables.

7. **Souffrent**
La plupart est employé ici comme un pronom indéfini. Il a **toujours** une valeur de pluriel.

8. **Interventions**
Les interventions sont des actions. On peut donc les dénombrer. Le pluriel s’impose.

9. **Réconfort (ou réconforts)**
Logiquement, *réconfort* doit être au singulier car j’attends *du* réconfort. Mais on peut admettre une

autre interprétation : l'auteur de la phrase attend *des manifestations de réconfort*, c'est-à-dire des actes concrets, dénombrables, qui s'expriment dès lors au pluriel.

10. Livres

Ici l'interprétation est sans ambiguïté. Il s'agit d'objets et même s'il y en a *peu*, ce *peu* signifie cependant : *plusieurs*.

Que d'eau ! que d'eau !

L'adverbe exclamatif de quantité est suivi d'un nom au singulier quand il s'agit de choses non dénombrables : "Que d'eau ! que d'eau !" Connaissiez-vous cette parole "historique" que les mauvaises langues attribuent au maréchal de Mac-Mahon, président de la République, lorsqu'il se rendit dans la région de la Loire, lors d'une mémorable inondation, à la fin du siècle dernier ? On dit même qu'un membre de sa suite ajouta ce commentaire non moins… profond : "Et encore, Monsieur le Maréchal, vous ne voyez que le dessus !"

SA MAJESTÉ LE VERBE

Dès le début de ces tests, nous vous avons dit l'importance du verbe, au cœur de la phrase. Nous vous rappelons qu'il est indispensable de connaître couramment les principales formes verbales. En cas d'hésitation, vous recourrez au dictionnaire, qui les indique, ou, mieux, à tel recueil de conjugaison que nous aurons l'occasion de vous recommander à la fin de ce livre (chapitre XI).

Les tests que nous allons vous présenter concernent **l'accord du verbe avec son sujet et au temps et au mode convenables** : nous supposons connues les formes verbales, sous la réserve que nous venons de formuler.

Vous trouverez donc dans la grille dix phrases où nous vous proposerons de choisir entre deux formes verbales mises entre parenthèses : une forme A et une forme B. Vous choisirez l'une ou l'autre (la bonne, évidemment !) et vous indiquerez votre réponse (A ou B) dans la case prévue sur la grille.

→ **Soit par exemple** la proposition : "Après qu'il (A : *eut* ; B : *eût*) trotté." La forme correcte étant "Après qu'il *eut* trotté", vous écrirez A dans la case.

		Notes sur 2
1	Qu' (A: il survienne; B: ils surviennent) des dangers, les lâches disparaissent.	
2	Sa joie et son courage nous (A: réconforte; B: réconfortent).	
3	La loi a précisé que Togolais, Gabonais, Centrafricains, tout étranger à la C.E.E. (A: devait; B: devaient) attester d'un titre de séjour pour obtenir un "emploi de proximité".	
4	Plus d'un (A: travaillait; B: travaillaient) déjà.	
5	Moins de deux semaines (A: s'était passée; B: s'étaient passées).	
6	Lui, vous et moi (A: partirons; B: partiront).	
7	C'est toi qui (A: prendras; B: prendra) les devants.	
8	C'est un pays qu'(A: arrose; B: arrosent) de nombreux fleuves.	
9	Je voudrais que vous (A: nettoyez; B: nettoyiez) vos chaussures.	
10	Si j'étais appelé demain, (A: aurai-je; B: aurais-je) le temps de venir?	
	Total sur 20	

→ Réponses p. 268

Il y a "si" et "si"

Vous n'oublierez pas d'écrire : "Si tu *viens*, je me réjouirai" ou "Si tu *venais*, je me réjouirais" (nº 10 du test 41). Mais vous écrirez : "Je me demande si tu *viendras*" ou : "Je me demandais si *tu viendrais*." C'est que, dans ces deux derniers exemples, *si* n'introduit pas une subordonnée de condition : c'est un *adverbe interrogatif* et non plus une conjonction.

Ultima verba (dernières paroles)

On rapporte ce propos du grammairien Vaugelas (1585-1650) sur son lit de mort : "Je m'en vais ou je m'en vas ; l'un et l'autre se dit ou se disent"

Une dernière leçon de grammaire administrée à ceux qui l'assistaient !

▶ Réponses en vue de l'évaluation

1. A
2. B
3. A
4. A
5. B
6. A
7. A
8. B
9. B
10. B

▶ Réponses commentées

1. Qu'il survienne des dangers

→ **Règle** : Le verbe s'accorde avec son sujet, même dans le cas de cette tournure dite "impersonnelle" où l'on distingue le sujet grammatical *il*, avec lequel le verbe s'accorde, du sujet réel, *des dangers*, dont on ne tient pas compte.

Le gallicisme *c'est* est traité différemment. (Nous vous rappelons qu'un "gallicisme" est une expression particulière à la langue française, intraduisible directement dans une autre langue.) Ce gallicisme vous fera écrire : "C'était moi" où, comme ci-dessus, le verbe s'accorde avec le sujet apparent *c'* ; mais vous écrirez : "Ce sont des ignorants" en faisant accorder le verbe avec le sujet réel. Pourtant vous lirez dans Verlaine la forme populaire (choisie exprès par le poète, parlant de la vraie poésie) : "C'est des beaux yeux derrière des voiles" (*Art poétique*).

2. Sa joie et son courage nous réconfortent

Règle : Plusieurs singuliers valent un pluriel.

3. **La loi a précisé que Togolais, Gabonais, Centrafricains, tout étranger à la C.E.E. devait…**
L'accord du verbe *devait* se fait au singulier.
Règle : Contrairement à la règle précédente (n° 2), le verbe reste au singulier quand il ne se rapporte réellement qu'à l'un des sujets qui résume les autres ou qui les exclut :

"Femmes, moine, vieillard, tout était descendu"
(La Fontaine, *Le Coche et la Mouche*).

La vie d'un auteur ou son œuvre vous intéresse-t-elle avant tout ?
Ni l'un ni l'autre n'est prêt.
"L'un et l'autre se dit ou se disent"
(Vaugelas, grammairien du XVIIe s. ; voir encadré).

4. **Plus d'un travaillait**
Règle : Si le sujet est "plus d'un", le verbe reste au singulier. Voici une petite "astuce" pour retenir cette règle bizarre :
"Plus d'un, cela fait au moins deux. N'est-ce pas singulier ?"

5. **Moins de deux semaines s'étaient passées**
Règle : Si le sujet est "moins de deux", le verbe se met au pluriel.
Voilà un cas où la grammaire est contrariante…

6. **Lui, vous et moi partirons**
Règle importante : Quand le sujet est formé de pronoms de différentes personnes, le pronom de la 1re personne l'emporte ; à défaut, celui de la 2e : "Vous et votre frère parti*rez*."

7. **C'est toi qui prendras les devants**
Règle : Lorsque le sujet est un pronom relatif, le verbe s'accorde avec l'antécédent du pronom.

C'est moi qui *suis*, qui *viens*, qui *dis*, qui *ai*, qui *parle*, etc.

C'est toi qui *es*, qui *viens*, qui *dis*, qui *as*, qui *parles*, etc.
C'est lui qui *est*, qui *vient*, etc.
Maman, toi qui m'*as* élevé…

N'oubliez pas le cas du gallicisme *c'est* (voir nº 1) :
C'étaient les ennemis ou *c'était* les ennemis.

Mais écrivez (et dites) : *c'est nous*, *c'est vous*, *c'était nous*, *c'était vous*.

8. C'est un pays qu'arrosent de nombreux fleuves
Ne vous laissez pas tromper par l'inversion du sujet. L'analyse correcte de la phrase vous révèle que le sujet est ici le nom *fleuves*. Et n'oubliez pas que ces inversions sont fréquentes en poésie.

9. Je voudrais que vous nettoyiez vos chaussures
Règle : Le verbe s'accorde avec le mode et avec le temps. Ici, le verbe *nettoyiez* est au présent du subjonctif, car la proposition subordonnée *que vous nettoyiez vos chaussures* dépend d'un verbe de volonté. Le choix de la bonne forme du verbe dépend donc d'abord de l'analyse logique : reconnaître qu'il faut un subjonctif. Moyen pratique de vous en rendre compte : utiliser un subjonctif bien “voyant”. Ex. : “Je voudrais que tu *sois* sage.”

Deuxième condition à remplir pour ne pas faire de faute : ne pas confondre les formes verbales voisines. Attention donc aux terminaisons *-ions*, *-iez*, des 1re et 2e personnes du pluriel de l'imparfait de l'indicatif et du présent du subjonctif.

Hier, nous chant*ions*, vous chant*iez*
nous travaill*ions*, vous travaill*iez*
nous cri*ions*, vous cri*iez*
nous nettoy*ions*, vous nettoy*iez*

Je voudrais que nous chant*ions*, que vous chant*iez*
que nous travaill*ions*, que vous travaill*iez*

que nous cri*ions*, que vous cri*iez*
que nous nettoy*ions*, que vous nettoy*iez*

Ne confondez pas avec les formes du présent de l'indicatif :

nous nettoyons, vous nettoyez.

10. Si j'étais appelé demain, aurais-je le temps de venir ?

Nous avons affaire à un conditionnel et non pas à un futur. Ce qui nous l'indique, c'est la présence d'une proposition subordonnée de condition exprimée à l'imparfait. Moyen pratique de reconnaître la forme à employer : tourner au pluriel. "Si nous étions appelés demain, *aurions-nous* le temps de venir ?"

Voyez la différence dans le cas où la subordonnée est au présent :
"Si nous sommes appelés demain, *aurons-nous* (futur) le temps de venir ?"
Et surtout **n'employez dans la subordonnée de condition ni le conditionnel, ni le futur**.

Retenez enfin la distinction que nous vous avons rappelée dès le test n° 2 :
Après qu'il eut trotté (après qu'ils eurent trotté) = passé antérieur, commandé par la locution conjonctive *après que*.
Avant qu'il eût répondu (avant qu'ils eussent répondu) = plus-que-parfait du subjonctif commandé par la locution conjonctive *avant que*.

LA FAMEUSE RÈGLE DES PARTICIPES

Nous allons la revoir sous la forme d'un discours en vingt participes passés.

Vous aurez à écrire correctement chaque participe passé présenté entre parenthèses ; vous retrouverez chacune des phases dans la grille et c'est là que vous inscrirez la forme attendue entre les crochets.

L'épreuve

Nous avons (composé) cette fois une épreuve que nous avons (voulu) moins facile. Y aurez-vous (consacré) un moment de vacances, les jours qu'il a (plu), par exemple ? Après les quelques minutes que votre plume aura (couru) sur le papier, vous tremblerez peut-être à l'idée des dangers que vous aurez (couru). Mais lorsque les solutions seront (arrivé) sous vos yeux, vous verrez que vos efforts seront (récompensé). Au moment où seront (totalisé) les résultats des exercices avec lesquels ont été (constitué) les pages de ce livre, chacun sera (devenu) presque un virtuose. Quand on est (convaincu) comme vous l'êtes, Madame, ou (persuadé) comme vous, Monsieur, (attendu) l'importance des règles que vous vous êtes (assimilé), vous avez (fait) certainement les efforts nécessaires pour triompher des difficultés qui se sont (succédé). Ainsi tous nos lecteurs se seront (aperçu) des pièges au moyen desquels nous nous sommes (plu) à les taquiner et qu'ils auront (déjoué).

▶ Vos réponses

		1 point par bonne réponse
1	Nous avons [............]une épreuve.	
2	(une épreuve) que nous avons [............] moins facile.	
3	Y aurez-vous [............] un moment ?	
4	Les jours qu'il a [............].	
5	Après les quelques minutes que votre plume aura [............].	
6	Vous tremblerez à l'idée des dangers que vous aurez [............].	
7	Lorsque les solutions seront [............] sous vos yeux.	
8	vos efforts seront [............].	
9	Au moment où seront [............] les résultats	
10	des exercices avec lesquels ont été [............] les pages de ce livre	
11	chacun sera [............] presque un virtuose.	
12	Quand on est [............] comme vous l'êtes, Madame	
13	ou [............] comme vous, Monsieur	
14	[............] l'importance des règles	
15	les règles que vous vous êtes [............]	
16	vous avez [............] certainement les efforts nécessaires	
17	les difficultés qui se sont [............].	
18	Tous nos lecteurs se seront [............] des pièges.	
19	Les pièges au moyen desquels nous nous sommes [............] à les taquiner.	
20	les pièges qu'ils auront [............].	

→ Réponses p. 274 **Total sur 20**

▶ Réponses en vue de l'évaluation

1. composé
2. voulue
3. consacré
4. plu
5. couru
6. courus
7. arrivées
8. récompensés
9. totalisés
10. constituées
11. devenu
12. convaincue
13. persuadé
14. attendu
15. assimilées
16. fait
17. succédé
18. aperçus
19. plu
20. déjoués

▶ Réponses commentées

Voici le texte correctement écrit.

L'épreuve

Nous avons *composé* (1) cette fois une épreuve que nous avons *voulue* (2) moins facile. Y aurez-vous *consacré* (3) un moment de vacances, les jours qu'il a *plu* (4), par exemple? Après les quelques minutes que votre plume aura *couru* (5) sur le papier, vous tremblerez peut-être à l'idée des dangers que vous aurez *courus* (6). Mais lorsque les solutions seront *arrivées* (7) sous vos yeux, vous verrez que vos efforts seront *récompensés* (8). Au moment où seront *totalisés* (9) les résultats des exercices avec lesquels ont été *constituées* (10) les pages de ce livre, chacun sera *devenu* (11) presque un virtuose. Quand on est *convaincue* (12) comme vous l'êtes, Madame, ou *persuadé* (13) comme vous, Monsieur, *attendu* (14) l'importance des règles que vous vous *êtes assimilées* (15), vous avez *fait* (16) certainement les efforts nécessaires pour triompher des difficultés qui se sont *succédé* (17). Ainsi tous nos lecteurs se seront *aperçus* (18) des pièges au moyen desquels nous nous sommes *plu* (19) à les taquiner et qu'ils auront *déjoués* (20).

1. Composé

Nous avons *composé* une épreuve.

Règle : Le participe passé conjugué avec *avoir* s'accorde seulement avec le complément d'objet direct placé avant le verbe. Dans le texte, le complément d'objet direct *épreuve* est placé après le verbe. Pas d'accord. **Mais on écrit** : "Les excès où *nous* avait *conduits* la colère". Le complément d'objet direct (C.O.D.) est le pronom *nous*, au pluriel, d'où l'accord du participe passé *conduits*.

2. Voulue

Une épreuve que nous avons *voulue* moins facile.

Ici, le C.O.D. est le pronom relatif *que*, mis pour *épreuve* (féminin singulier). Le C.O.D. est placé avant le verbe. Accord.

Faites toujours attention au pronom relatif *que*, *qu'*, et n'oubliez pas de remonter jusqu'à l'antécédent :

"Les *contrées* lointaines *que* les voyageurs ont *visitées*".

3. Consacré

Y aurez-vous *consacré* un moment ?

Le C.O.D. est placé après le verbe. Pas d'accord. Cas facile.

4. Plu

Les jours qu'il a *plu*.

Règle : Certains verbes n'ayant pas de complément d'objet direct, leur participe reste nécessairement invariable.

• C'est le cas **des verbes impersonnels** : neiger,

pleuvoir, tonner, venter, falloir, etc. "Que d'efforts il a *fallu* pour réussir ce test !"

Dans notre test, il ne "fallait" pas vous laisser abuser par *que* : *plu* reste invariable.

• La règle s'applique évidemment **aux verbes intransitifs** (puisqu'ils n'ont pas de C.O.D.) : dormir, grandir, vieillir, nager, ramper, paraître, disparaître, plaire, déplaire, briller, étinceler, scintiller, luire, etc. : "L'affaire est arrivée durant le temps que nous avons *dormi*."

5. Couru

Les minutes que votre plume a *couru*.

Attention, certains verbes sont tantôt intransitifs, tantôt transitifs. Dans cet exemple n° 5, *courir* est intransitif.

6. Courus

L'idée des dangers que vous aurez *courus*.

Cette fois, ce même verbe *courir* est transitif : *courir un danger*.

Le C.O.D. (pronom rel. *que*, mis pour *dangers*, masculin pluriel) est placé avant le verbe. Accord.

Voyez la différence d'accord entre : "Les fautes qu'il a *faites*" et "La chaleur qu'il a *fait* cet été".

7. Arrivées

Lorsque les solutions seront *arrivées* sous vos yeux.

Règle : Ce participe passé conjugué avec *être* s'accorde **toujours avec le sujet du verbe**.

8. Récompensés

Vos efforts seront *récompensés*.

Le participe entre dans une forme passive (futur passif). La règle d'accord ci-dessus s'applique évidemment.

N'oubliez pas que l'accord du participe passé employé avec *être* suit les mêmes règles que l'accord des adjectifs :
— un sujet formé de plusieurs singuliers entraîne le pluriel du participe ("Votre effort et votre travail seront *récompensés*") ;
— un masculin et un ou plusieurs féminins entraînent le masculin pluriel du participe ("Votre effort et votre ténacité seront *récompensés*").

9. Totalisés

Le moment où seront *totalisés* les résultats.

Attention à l'inversion du sujet !

10. Constituées

Les exercices avec lesquels ont été *constituées* les pages.

Même remarque : voyez bien où est le sujet.

11. Devenu

Chacun sera *devenu* presque un virtuose.

Accord sans difficulté avec le sujet *chacun*, qui est un singulier et un masculin.

12. Convaincue

Quand on est *convaincue* comme vous l'êtes, Madame.

Il faut faire attention à la valeur du pronom indéfini *on*. Malgré sa nature originellement neutre (ce qui entraîne l'accord au masculin : *on est venu*), il a pris ici une valeur de féminin parce qu'il désigne un être féminin. La règle est impérative.

Notez aussi qu'avec le pluriel de politesse, l'accord se fait au singulier :

"Nous, commissaire de police, nous sommes *allé*..."

"Vous êtes *venu*, Monsieur."

13. Persuadé

Persuadé comme vous, Monsieur.

Même règle ; mais il s'agit cette fois du masculin.

14. Attendu

Attendu l'importance des règles.

Approuvé, *attendu*, *inclus*, *joint*, *compris*, *excepté*, *ôté*, *ordonné*, *passé*, *supposé*, *vu* sont invariables avant le nom et s'accordent après.

"*Ci-joint* mes derniers relevés bancaires."

"Les relevés *ci-joints* attestent que..."

15. Assimilées

Les règles que vous vous êtes *assimilées*.

Règle : Dans le cas du participe passé des verbes pronominaux (ici, le verbe *s'assimiler* quelque chose), si l'auxiliaire *être* a la valeur du verbe *avoir*, le participe s'accorde avec le C.O.D. ou reste invariable selon la règle générale.

Méthode pratique : remplacez le verbe pronominal par un verbe conjugué avec *avoir*. Ici : "Les règles que vous avez *assimilées*." Il faut faire l'accord puisque le C.O.D. *que* (mis pour *règles*) est placé avant le verbe. Mais vous écrirez : "Vous vous êtes *assimilé* les règles" (C.O.D. placé après le verbe).

16. Fait

Vous avez *fait* certainement les efforts nécessaires.

Cas sans difficulté.

17. Succédé

Les difficultés qui se sont *succédé*.

En appliquant la méthode signalée au nº 15, vous obtenez : "Les difficultés qui ont succédé *à elles-mêmes*". Vous constatez que le verbe est transitif *indirect* : pas de C.O.D. ; pas d'accord.

18. Aperçus

Tous nos lecteurs se seront *aperçus* des pièges.

L'usage veut que le participe passé des verbes *s'apercevoir*, *s'aviser*, *se taire*, s'accorde toujours avec le sujet.

19. Plu

Nous nous sommes *plu* à les taquiner.

En revanche l'usage (toujours lui !) veut que le participe passé des verbes *se rire* et *se plaire* soit toujours invariable.

Comme il s'agit de verbes très employés, force nous est de bien les connaître.

20. Déjoués

Les pièges qu'ils auront *déjoués*.

Nous sommes là en présence d'un accord bien classique : C.O.D. placé avant le verbe (*qu'*, pronom relatif mis pour l'antécédent *pièges*, masculin pluriel).

D'où vient cet accord bizarre ?

Il est vrai que le fameux accord des participes était magistralement ignoré des grands auteurs classiques tels Corneille ou Racine — et ne parlons pas de Madame de Sévigné !

Cependant, il correspond à une tournure ancienne de notre langue qui permettait de dire, bien avant le XVIIe siècle : "J'ai ma cotte salie" (pour : "J'ai sali ma cotte"). *Salie* était senti comme un véritable adjectif, au même titre que "j'ai *une* cotte *salie*" ou "j'ai *une* cotte *déchirée*" : d'où l'accord.

Corneille lui-même écrit par exemple : "Chaque goutte (de sang) épargnée *a sa gloire flétrie*" (*Horace*, acte III, scène VI, v. 1028). N'est-il pas courant aussi d'entendre dans la langue populaire une expression comme : "Voilà que j'ai ma *blouse tachée*" ? Locution ressentie par celui qui l'emploie comme l'équivalent de "*J'*ai *ma* blouse *qui est tachée*". Cette dernière façon de parler est également fréquente, tout en présentant **un pléonasme** : recours à deux mots quand un seul suffirait (*Je + ma*, adjectif qui répète la notion de la 1re personne).

En revanche, quand le complément d'objet était rejeté après le participe, l'attraction n'était plus exercée sur celui-ci. D'où la forme : "J'ai *sali* ma cotte." Vous comprendrez facilement le phénomène d'attraction ou de non-attraction en repensant à des exemples comme : "*Ci-joint* douze feuilles" et "douze feuilles *ci-jointes*".

ÉVALUATION RÉCAPITULATIVE
DU CHAPITRE VII

Numéro du test		Note sur 20
37	SINGULIER OU PLURIEL ?	
38	FEU MA BELLE-MÈRE	
39	M.Q.T.	
40	LE PAPE, COMBIEN DE DIVISIONS ?	
41	SA MAJESTÉ LE VERBE	
42	LA FAMEUSE RÈGLE DES PARTICIPES	

Total sur 120 ☐

Note sur 20 (total divisé par 6) ☐

VIII

Le bon signe

Les signes orthographiques (accents, apostrophe, trait d'union), les signes de ponctuation, les majuscules ne sont pas des "accessoires" de l'orthographe. Ils en font partie intégrante, même si l'on constate parfois une regrettable négligence à cet égard, voire l'absence de certains signes pourtant indispensables dans les appareils modernes censés traduire ou transmettre les messages écrits. *Orthographier* désignait autrefois le fait d'écrire sans fautes et de calligraphier, comme le rappelle opportunément un maître de notre langue, M. Pruvost, docteur ès lettres et directeur d'un centre universitaire de formation des maîtres de la région parisienne.

Une erreur de ponctuation change tout le sens d'une communication. On connaît l'histoire (inauthentique !) de l'inspecteur qui écrit cette phrase au tableau : *L'inspecteur a dit : "Le maître est un âne"* et la phrase récrite par le maître (ou plutôt reponctuée) : "*L'inspecteur, a dit le maître, est un âne.*"

Pour vous amener à éviter ces contresens — volontaires ou non —, nous vous proposerons six tests.

TEST 43 : *Du grave à l'aigu*

TEST 44 : *Et les autres ?*

TEST 45 : *Savoir unir*

TEST 46 : *Et savoir apostropher*

TEST 47 : *Un point, ce n'est pas tout*

TEST 48 : *Les mots en majesté*

DU GRAVE À L'AIGU

Dans le texte qui suit, le typographe a oublié tous les accents, graves ou aigus. Il en manque vingt. À vous de les retrouver. Pour vous faciliter la tâche, nous allons récrire les mots (non accentués) dans la grille des réponses. À droite du mot, vous trouverez une case blanche pour écrire à votre tour le mot correctement accentué.

Attention : certains mots doivent recevoir deux accents. Dans ce cas-là, **nous les présenterons deux fois et vous les récrirez deux fois avec leurs accents**. Chaque transcription sans faute vous vaudra un point. Soit le mot *réchauffé* ; nous écrirons deux fois : *rechauffe* (une fois par ligne) ; vous mettrez chaque fois, à hauteur du mot, votre réponse : *réchauffé* (une fois par ligne). Vous gagnerez et inscrirez un point sur la première ligne si le premier accent est bon ; un point sur la ligne suivante si le second accent est bon également.

En mer

Dusse-je vivre cent ans, je ne saurais oublier cette
1

viree au large de Camaret. Le vent nous prit au piege et,
2 3

assieges par une mer demontee, nous avons craint des
4 5 6 7

evenements irremediables. Nous avons cru ne pas
8 9 10 11

retrouver l'acces du port d'ou nous etions partis. Il
12 13 14

regnait une obscurite complete lorsqu'enfin, a vingt
15 16 17 18

heures, au gre des vagues, nous avons pu saluer l'appa-
19

rition du port comme l'avenement du Sauveur.
20

▶ Vos réponses

		1 point par réponse
1	dusse	
2	viree	
3	piege	
4	assieges	
5	assieges	
6	demontee	
7	demontee	
8	evenements	
9	evenements	
10	irremediables	
11	irremediables	
12	acces	
13	ou	
14	etions	
15	regnait	
16	obscurite	
17	complete	
18	a	
19	gre	
20	avenement	
	Total sur 20	

→ Réponses p. 288

Réponses en vue de l'évaluation

1. dussé
2. virée
3. piège
4. assiégés
5. assiégés
6. démontée
7. démontée
8. événements
9. événements
10. irrémédiables
11. irrémédiables
12. accès
13. où
14. étions
15. régnait
16. obscurité
17. complète
18. à
19. gré
20. avènement

Texte correctement accentué :

En mer

Dussé-je vivre cent ans, je ne saurais oublier cette virée au large de Camaret. Le vent nous prit au piège et, assiégés par une mer démontée, nous avons craint des événements irrémédiables. Nous avons cru ne pas retrouver l'accès du port d'où nous étions partis. Il régnait une obscurité complète lorsqu'enfin, à vingt heures, au gré des vagues, nous avons pu saluer l'apparition du port comme l'avènement du Sauveur.

Réponses commentées

1. Dussé

Dans le cas de l'inversion du sujet après un verbe qui se termine par un E muet à la **première personne du singulier**, ce E reçoit l'accent aigu.

2. Virée

Les noms féminins terminés par le son é s'écrivent généralement avec un E muet final : *une allée*, *une virée*. Il ne faut pas les confondre dans une dictée avec les mots terminés par le suffixe *-aie* qui indique une plantation : *une palmeraie*.

Un petit nombre de noms masculins terminés aussi par le son é s'écrivent avec un E muet final : *l'apogée*, *un athée*, *un camée*, *l'Elysée*, *Enée*, *le lycée*, *un mausolée*, *un musée*, *Orphée*, *un protée*, *un scarabée*.

3. **Piège**
Retenez que le nom porte l'accent grave, mais que le verbe *piéger* porte l'accent aigu **parce que la syllabe suivante n'est pas une syllabe muette**.

4. **Assiégés**
Comparez le nom *siège*, avec accent grave (la syllabe suivante est muette, comme dans *piège*), les verbes *siéger* ou *assiéger*, avec accent aigu (la syllabe suivante n'est pas muette ; voir *piéger*), les formes *je siège*, *j'assiège* (syllabe finale redevenue muette) et *assiégés* (syllabe finale redevenue sonore).
Retenez cette alternance é/è.

5. **Assiégés**
L'accent aigu final existe aussi bien au féminin qu'au masculin : *Elles étaient assiégées*.

6. **Démontée**
Pour l'accent de la première syllabe, il appartient au préfixe *dé-* qui signifie cessation, éloignement, privation, contraire.

7. **Démontée**
Pour l'accent final du participe passé au féminin,

nous retrouvons le cas signalé à propos de *assiégés*, *assiégées* (n° 5).

8. Événements
On commet rarement des erreurs sur le premier accent.

9. Événements
Il n'en est pas de même pour le second. Vous ne commettrez pas (ou plus) cette faute et vous retiendrez que le second accent est aussi un accent aigu, à la différence de l'accent du mot *avènement* (voir n° 20).

10. Irrémédiables
Bien que le mot soit de la famille de *remède*, *remédier*, la syllabe *-ré-* porte l'accent aigu. Mais vous écrirez : *remédiable* (à quoi l'on peut remédier).

11. Irrémédiables
Le second accent aigu est dû au phénomène d'alternance que nous vous signalions plus haut à propos de *piège* ou d'*assiégés*. Voyez comment on passe de *remède* à *remédier*, *remédiable* (**é** chaque fois que la syllabe suivante n'est pas muette).

12. Accès
Les noms en *-ès* : *abcès*, *accès*, *cyprès*, *décès*, *excès*, *succès*.

13. Où
L'accent grave est utilisé pour distinguer *où* pronom ou adverbe de *ou* conjonction.
"Tu iras *où* je te dirai."
"Tu iras *ou* tu resteras."

De même on accentue *là* adverbe pour le distinguer de l'article ou du pronom *la*.

14. Étions
Forme de la conjugaison. Vous retrouvez cet accent aigu dans le participe *été*.

15. Régnait
Attention à l'accent aigu ! Ne vous laissez pas tromper par le présent : *je règne*.

Règle : Les verbes qui ont un E avec accent aigu à l'avant-dernière syllabe de l'infinitif (régner) ne changent l'accent aigu en accent grave **que devant un E muet** (*je règne*) sauf à l'indicatif futur (*il régnera*) et au conditionnel présent (*il régnerait*). Voyez n°s 3, 4.

16. Obscurité
Les noms féminins qui indiquent un état ou une qualité se terminent par un E accent aigu qui n'est pas suivi d'un E muet contrairement à la règle donnée au n° 2. Comparez : *une assemblée* et *une profonde obscurité*.

17. Complète
Fait partie de la série des adjectifs qui vous ont été signalés (test 29, n° 2) : *complète*, *concrète*, *désuète*, *discrète*, *inquiète*, *replète*, *secrète*.

18. À
Ici encore, l'accent grave est un signe conventionnel, mais extrêmement important pour distinguer des mots de natures différentes : *a* (3e p. du sing. du verbe *avoir*) et *à* (préposition). Il s'agit ici de la préposition introduisant un complément de temps. Une erreur d'accent est grave dans ce

cas : elle montre que vous ne savez pas identifier les mots, en reconnaître la nature et la fonction.

19. Gré

Type classique de nom masculin terminé par un E avec accent aigu : l'été, le thé, le blé, le café, l'énoncé, etc.

20. Avènement

C'est le nom avec accent grave qu'il ne faut pas confondre avec son paronyme *événement*, qui comporte, vous le savez maintenant, deux accents aigus. Des *paronymes* sont des mots qui présentent entre eux des ressemblances de forme sans avoir de rapport de sens.

Ouvert ou fermé

L'accent aigu sur E indique une prononciation dite “fermée” (*été*) ; l'accent grave indique une prononciation dite “ouverte” (*près*). Cela correspond d'ailleurs à l'ouverture de la bouche : comparez la façon dont vous ouvrez la bouche pour dire “le pré” (où paissent les vaches) et “près” (près de lui).

Retenez que deux noms masculins en E fermé ont une orthographe particulière : *pied*, *nez*.

Et distinguez, par la prononciation : *je verrai* (futur), avec E fermé, et *je verrais* (conditionnel), avec E ouvert. Distinguez de même : j'*ai* et que j'*aie*, etc.

Enfin, retenez ces deux règles :

1. Le **e** fermé suivi d'une consonne double ne prend pas d'accent : *effacer*, *erreur*, *je verrai*, *nous conquerrions* (conditionnel du verbe *conquérir*), *essai*, *nettoyer*.

2. Le **e** ouvert suivi d'une consonne double ne prend pas non plus d'accent : *bretelle*, *équerre*, *prouesse*, *brouette*.

Les verbes en -eler et en -eter

À côté d'un verbe comme *appeler* → *j'appelle* ou *jeter* → *je jette*, certains verbes prennent un accent grave au lieu de doubler le L ou le T.

Bourreler → *je bourrèle*

de même : celer, déceler, ciseler, démanteler, écarteler, geler, congeler, dégeler, harceler, marteler, modeler, peler

acheter → *j'achète*

de même : racheter, becqueter, colleter, crocheter, étiqueter

Deux phrases pour rassembler toutes ces bizarreries :

— *Je ne vous cèle pas que ceux qui cisèlent leur style mais démantèlent la grammaire sans que le remords les bourrèle m'écartèlent l'esprit ; aussi je les harcèle, les martèle et les pèle afin qu'ils se dégèlent et remodèlent leur français.*

— *Je me collète avec les moineaux pillards qui crochètent et becquètent les graines que j'achète tandis que le marchand les étiquète.*

Retenez

je compl*è*te (indic. présent)
nous compl*é*tons (id.)
je compl*é*terai (indic. futur)
je compl*é*terais (cond. présent)

▶ **Voir le nº 15**

Et, pour votre usage, conjuguez de même : accélérer, régler, régner.

ET LES AUTRES ?

N'oublions pas les autres. Quels autres ? Les autres signes orthographiques, tout aussi importants, et qui sont *l'accent circonflexe*, *la cédille* ou *le tréma*.

Nous allons vous donner une liste de vingt mots ou expressions usuels où nous n'avons mis aucun de ces signes. Pourtant, certains (mais pas tous !) doivent recevoir l'un ou l'autre. À vous de les découvrir et de transcrire le mot, sous la forme convenable, à la place réservée dans la grille des réponses.

1. le premier *chapitre*
2. une *épitre*
3. la *tempete*
4. un homme *tempetueux*
5. le *votre*
6. *blanchatre*
7. nous *chantames*
8. qu'il *mourut*
9. il *vint* hier
10. il *parait*
11. *pres* de
12. *pret* à
13. à chacun son *du*
14. il est *recu*
15. *c'*est difficile
16. *c'*a été difficile
17. la *cigue*
18. une *figue*
19. *paien*
20. *ancien*

→ **Exemple** : On vous propose : *une plainte aigue* ; vous écrirez sur la grille : *aiguë* (avec le tréma sur le E et non sur le U).

	Mot sans signe	Mot correct	1 point par réponse
1	chapitre		
2	épitre		
3	tempete		
4	tempetueux		
5	votre		
6	blanchatre		
7	chantames		
8	mourut		
9	vint		
10	parait		
11	pres		
12	pret		
13	du		
14	recu		
15	c'est		
16	c'a		
17	cigue		
18	figue		
19	paien		
20	ancien		
		Total sur 20	

→ Réponses p. 296

▶ Vos réponses
▶ Réponses en vue de l'évaluation

1. chapitre	11. près
2. épître	12. prêt
3. tempête	13. dû
4. tempétueux	14. reçu
5. vôtre	15. c'est
6. blanchâtre	16. ç'a
7. chantâmes	17. ciguë
8. mourût	18. figue
9. vint	19. païen
10. paraît	20. ancien

▶ Réponses commentées

1. Chapitre

Ce mot ne comporte pas d'accent circonflexe.

2. Épître

L'accent circonflexe tient la place d'un S aujourd'hui disparu. Songez à l'adjectif *épistolaire* (qui se rapporte à la lettre ; *épître* désigne en effet la lettre qu'on adresse à quelqu'un). De même dans *arrêt* (arrestation), *prêt* (prestation), *intérêt* (intéresser), *forêt* (forestier), *âpre* (aspérité), *impôt* (imposer), etc.

L'accent circonflexe tient aussi la place d'autres lettres aujourd'hui disparues d'un mot. Par exemple dans *âme* (animation), *âge* (écrit autrefois *aage*), *frêle* (fragile), *mûr* (maturité), etc. On écrit parfois *dévoûment* à côté de *dévouement*.

3. Tempête

L'accent circonflexe tient ici la place du S. Un moyen commode de savoir s'il faut l'accent circonflexe est de recourir à un mot de la famille où le S apparaît. Vous songerez à *intempestif* comme, plus haut, nous avons rattaché *épître* et *épistolaire*.

4. Tempétueux

Mais il faut être prudent à propos de ces rapprochements. Voilà par exemple un mot de la famille où le S n'apparaît pas.

5. Vôtre

Le *vôtre*. L'accent circonflexe, qui a aussi le S pour origine (on disait autrefois : *vostre*), est maintenu dans le pronom possessif, ce qui lui permet de ne pas être confondu avec l'adjectif possessif : *votre chat*, *le vôtre*.

6. Blanchâtre

Les adjectifs en *-âtre* indiquent une nuance de la couleur (*blanchâtre* = qui tend vers le blanc) mais souvent aussi une nuance péjorative (un goût *douceâtre* : d'une douceur fade, peu agréable).

Attention : que ces suffixes d'adjectifs ne vous conduisent pas à traiter de la même manière les mots formés avec la racine grecque *-iatre* (sans accent) qui signifie : médecin. Vous écrirez donc : *un psychiatre*, *un pédiatre*, etc.

7. Chantâmes

Nous *chantâmes*. L'accent circonflexe apparaît souvent dans la conjugaison. Vous le trouvez notamment à la 1re et à la 2e p. du pluriel du passé simple. Nous *dîmes*, vous *dîtes* (ne confondez pas avec le présent : *vous dites* et mesurez ici encore l'importance de l'accent comme signe distinctif).

8. Mourût

Qu'il *mourût*. Nous sommes en présence de la 3e p. du singulier de l'imparfait du subjonctif où, vous le savez, l'accent circonflexe est de rigueur. Ne confondez pas avec le passé simple de l'indicatif : il *mourut* et, pour éviter de vous tromper, rappelez-vous (nous vous l'avons déjà dit) de tourner par le pluriel : *qu'ils mourussent*, *ils moururent*.

9. Vint

Il vint : 3e p. du singulier du passé simple. Donc, pas d'accent (voir ci-dessus). À distinguer de : *qu'il vînt*.

10. Paraît

Il paraît. Les verbes en *-aître* et en *-oître* prennent l'accent circonflexe devant le T (mais *je parais*, *nous paraissons*). Vous distinguerez *il croit* (verbe *croire*) et *il croît* (verbe *croître*).

11. Près

Près de : locution conjonctive formée avec l'adverbe *près* (*auprès*, *ci-après*).

L'accent circonflexe dans les adverbes : voir p. 127.

Vous le trouvez encore dans *tôt*, *aussitôt*, *bientôt*, etc., dans *assidûment*, dans *peut-être* (où il vient du verbe être).

12. Prêt

Prêt à. Il faut bien se garder de confondre

l'adverbe (ou conjonction) *près* (ci-dessus) et l'adjectif *prêt* (féminin *prête*).
a) "Vous êtes *près de* réussir."
b) "Vous êtes *prêt à* réussir."

Moyen d'éviter l'erreur : songez à tourner au féminin ; dans le premier cas, *près* reste invariable.

13. Dû
À chacun son dû : le nom *dû* vient du participe du verbe *devoir* employé comme adjectif et devenu ici un nom. L'accent n'existe qu'au masculin singulier. Voir aussi : *crû* (croître) et *mû* (mouvoir).

14. Reçu
La cédille donne le son S au C devant A, O, U. *Çà*, *poinçon*, *reçu*, etc.

15. C'est
Le C a le son S devant E.

16. Ç'a
Ç'a été difficile. En revanche, il faut ici mettre une cédille pour conserver le son S au sujet neutre (ç = ça = cela). Ça est élidé devant la forme a (3e p. du sing. de l'auxiliaire *avoir*).

17. Ciguë
Le tréma se met sur les voyelles E, I, U pour indiquer que les voyelles qui les précèdent doivent être prononcées à part : *Noël*, une réponse *ambiguë*, etc.

18. Figue
Il s'agit du fruit et le son U ne s'entend pas dans ce nom.

19. Païen

Le son A est entendu distinctement du son I, qui forme une diphtongue (une seule émission de voix) avec les deux lettres suivantes *-en* (*-ien*).

20. Ancien

Aucune voyelle ne précède directement le I. La règle du tréma n'a rien à faire ici.

Faut-il un accent aigu sur média-médias ?

Média vient du latin *medius* (= intermédiaire), dont le pluriel neutre, *media*, peut se traduire par "procédés, mécanismes intermédiaires". Les *media* (au sens latin et sous la forme latine, **où les mots ne sont jamais graphiquement accentués**), ce sont donc les intermédiaires entre l'émetteur d'un message et celui qui le reçoit : une lettre transmise par la poste, un signal optique, un signal acoustique, un livre, le journal, et maintenant la radio, la télévision, le fax, le minitel, que sais-je encore ?

Le mot nous est arrivé de l'anglo-saxon *mass-média* et a donné une abréviation francisée écrite au singulier *un média*, avec un accent, ce qui est logique dans la graphie française, et avec un S au pluriel, quand nous écrivons les *médias*, ce qui est également logique. En conclusion, si nous voulons user du latin, nous écrirons : les *media* sans accent et sans S, mais si nous voulons nous conformer à l'usage contemporain nous écrirons : les *médias* (avec accent et avec S : les deux à la fois).

SAVOIR UNIR

L'usage des traits d'union est lui aussi codifié dans la plupart des cas. Voici un texte sur lequel vous allez sans grands risqucs — exercer votre sagacité.

En première ligne

Ce jour de *mille neuf cent quarante quatre* (1), *le garde barrière* (2) *entre bâilla* (3) ses volets de la largeur d'un *timbre poste* (4). De *cet observatoire là* (5) il pouvait suivre *lui même* (6) la *contre attaque* (7) *franco américaine* (8) qui se développait *en bas* (9) des *contre forts* (10) de la *colline même* (11). "*Allez y* (12)! *Rentrez leur* (13) *là dedans* (14)" *criait il* (15) avec l'enthousiasme grossier d'un patriotisme sans risques. "*Va t en* (16) *de là* (17), lui lança un soldat qui passait. Mon Dieu, quand ce carnage *va t il* (18) finir? Quand *cesserons nous* (19) de nous *entre tuer* (20)?"

Dans ce texte, les expressions en italique numérotées sont présentées sans être soudées et sans trait d'union. À vous de trouver celles qui sont soudées, celles qui reçoivent un trait d'union, celles qui doivent demeurer séparées. Sur la grille des réponses, à la hauteur de chacune de ces expressions, que nous répéterons, vous écrirez la forme correcte dans la case réservée à cet effet.

→ **Par exemple**, si l'on vous propose le nombre *quatre vingt dix neuf*, vous écrirez, en mettant des traits d'union : *quatre-vingt-dix-neuf*.

▶ Vos réponses

	Expression proposée	Expression mise au point	1 point par réponse
1	mille neuf cent quarante quatre		
2	garde barrière		
3	entre bâilla		
4	timbre poste		
5	cet observatoire là		
6	lui même		
7	contre attaque		
8	franco américaine		
9	en bas		
10	contre forts		
		Total sur 20	

→ Réponses p. 304

▶ **Vos réponses**

	Expression proposée	Expression mise au point	1 point par réponse
11	la colline même		
12	allez y		
13	rentrez leur		
14	là dedans		
15	criait il		
16	va t en		
17	de là		
18	va t il		
19	cesserons nous		
20	entre tuer		
		Total sur 20	

→ Réponses p. 304

▶ Réponses en vue de l'évaluation

1. mille neuf cent quarante-quatre
2. garde-barrière (ou : garde barrière)
3. entrebâilla
4. timbre-poste (ou : timbre poste)
5. cet observatoire-là
6. lui-même
7. contre-attaque
8. franco-américaine
9. en bas
10. contreforts
11. la colline même
12. allez-y
13. rentrez-leur
14. là-dedans
15. criait-il
16. va-t'en
17. de là
18. va-t-il
19. cesserons-nous
20. entre-tuer

Texte complété :

En première ligne

Ce jour de mille neuf cent *quarante-quatre* (1), *le garde-barrière* (2) *entrebâilla* (3) ses volets de la largeur d'un *timbre-poste* (4). De *cet observatoire-là* (5) il pouvait suivre *lui-même* (6) la *contre-attaque* (7) *franco-américaine* (8) qui se développait *en bas* (9) des *contreforts* (10) de la *colline même* (11). "*Allez-y* (12) ! *Rentrez-leur* (13) *là-dedans* (14)" *criait-il* (15) avec l'enthousiasme grossier d'un patriotisme sans risques. "*Va-t'en* (16) *de là* (17), lui lança un soldat qui passait. Mon Dieu, quand ce carnage *va-t-il* (18) finir ? Quand *cesserons-nous* (19) de nous *entre-tuer* (20) ?"

▶ Réponses commentées

1. **Mille neuf cent quarante-quatre**
Vous avez dû retenir que les nombres composés inférieurs à *cent* dans lesquels n'entre pas la conjonction *et* prennent le trait d'union.

2. **Garde-barrière (ou : garde barrière)**
Les noms composés de deux noms ou d'un verbe avec son complément peuvent ou non prendre le trait d'union. En général, il vaut mieux l'employer quand il y a ellipse de la préposition.

3. **Entrebâilla**
Certains des mots composés avec *entre* et *contre* s'écrivent avec un trait d'union, d'autres sont soudés.

   Trait d'union : *entre-deux*, *s'entre-tuer*, *contre-attaque*, *contre-jour*, *contre-pied*.
   Mot unique : *entrecôte*, *entremets*, *entrevoir*, *contredanse*, *contrefaçon*, *contrefort*.

4. **Timbre-poste (ou timbre poste)**
C'est le cas signalé plus haut. Le *timbre-poste* est un *timbre* pour la *poste* (ellipse de la préposition).

5. **Cet observatoire-là**
L'adverbe démonstratif qui fait partie de l'adjectif démonstratif *ce... là*, *cet... là*, *cette... là*, *ces... là* est rattaché par un trait d'union au nom encadré par cet adjectif composé.

6. **Lui-même**
Même est rattaché par un trait d'union au pronom dans les composés *moi-même*, *toi-même*, *lui-*

même, *elle-même*, *nous-mêmes* (avec accord), etc.

7. Contre-attaque
Voir la liste des mots composés avec *entre* et *contre*.

8. Franco-américaine
Les adjectifs ou les noms en apposition prennent le trait d'union.

9. En bas
Locution prépositive (ici) ou adverbiale, qui reste en deux mots.

10. Contreforts
Voir la liste des mots composés avec *entre* et *contre*.
Ici le nom est soudé.

11. Même
Ici, adjectif qui ne s'attache pas.

12. Allez-y
En et *y* s'attachent au verbe qu'ils suivent. *Parlons-en*, *venez-y*, etc.

13. Rentrez-leur
Règle : On met le trait d'union pour lier le verbe au pronom (sujet ou complément) placé immédiatement après lui : *dit-on*, *dites-moi*, *dites-le-lui*, *est-elle*, *attendez-moi*, *revenez-nous*, *laissez-les*, *donnez-leur*, etc.

14. Là-dedans
Quand *là*, adverbe de lieu, est complété par un

autre adverbe de lieu, il faut leur mettre un trait d'union : *là-bas*, *là-haut*, etc.

15. Criait-il

Cas signalé plus haut (13) : le verbe et le pronom inversé sont liés.

16. Va-t'en

Attention aux fautes : le trait d'union existe entre *va* et *t'* en vertu de la règle donnée au n° 13. Prenez garde que *t'* est un pronom (le pronom personnel de la deuxième personne du singulier ; au pluriel vous diriez : *allez-vous-en*). L'apostrophe n'est pas une forme de liaison ; elle marque l'élision du pronom. Mais on ne peut pas employer simultanément l'apostrophe et le trait d'union.

17. De là

Ces mots ne peuvent pas s'unir ; *de* est ici une préposition et *là* est un adverbe. La locution reste en deux mots.

18. Va-t-il

C'est un cas tout à fait différent de celui du n° 16. Cette fois la lettre T est seulement une adjonction *euphonique* (pour l'agrément de l'oreille) : elle évite l'hiatus de *va/il* (heurt de voyelles). D'où les deux traits d'union.

19. Cesserons-nous

Cas sans difficulté : application de la règle présentée au n° 13.

20. Entre-tuer

Voyez la liste des composés avec *entre* et *contre* donnée sous le n° 3.

ET SAVOIR "APOSTROPHER"...

Entendez par là qu'il faut savoir placer correctement le signe appelé *apostrophe*. Ce signe marque l'*élision*, c'est-à-dire la suppression de la voyelle finale d'un mot.

Quand nous écrivons : *l'élision*, nous avons élidé le A de l'article défini et nous l'avons remplacé par *une apostrophe*.

La voyelle finale peut être élidée aussi dans une préposition : *Il vient d'ici* (*d'* mis pour *de*), dans un pronom : J'arrive (*j'* mis pour *je*), etc.

Nous allons vous placer devant des situations où vous aurez à choisir si vous pratiquerez ou non l'élision. Nous vous proposerons un mot (à élider ou non) et le mot ou l'expression qui doit le suivre. Vous écrirez, dans la case de droite de la grille, la forme convenable du mot à élider.

→ **Par exemple**, nous vous proposerons comme mot à élider la préposition *entre* (première case) puis le mot qui doit suivre : *autres* (deuxième case). Dans la troisième case (qui vous est réservée) vous écrirez : *entre* (non élidé puisque l'expression est : *entre autres*).

→ **Autre exemple** : nous vous proposerons comme mot à élider la préposition *jusque* (première case) puis le mot qui doit suivre : *à* (deuxième case). Dans votre troisième case vous écrirez : *jusqu'* (élidé puisque l'expression est : *jusqu'à*).

N'écrivez que le mot, sans donner d'explication.

C'est facile. Mais...

▶ Vos réponses

	1re partie de l'expression	2e partie de l'expression	Mot élidé ou non élidé	Notes sur 2
1	le	hiatus		
2	la	hache		
3	le	onzième		
4	le	yacht		
5	le	un (pronom)		
6	on le	harcèle		
7	lorsque,	un jour après		
8	quelque	un		
9	en quelque	endroit		
10	puisque	en travaillant		
			Total sur 20	

→ Réponses p. 310

▶ Réponses en vue de l'évaluation

1. l'
2. la
3. le
4. le
5. l'
6. le
7. lorsque
8. quelqu'
9. quelque
10. puisque

▶ Réponses commentées

1. L'hiatus

Règle : *De* (préposition), *la*, *le* (articles), *que* (pronom relatif, interrogatif ou exclamatif), *que* (conjonction), les locutions conjonctives *parce que*, *alors que*, *tandis que*, *bien que*, *encore que* s'élident **devant tout mot commençant par une voyelle ou un H non aspiré**.

Dans *hiatus*, le H n'est pas aspiré. La règle s'applique.

• **Autres exemples :**
D'ailleurs (*de* préposition)
l'homme (*le* article)
celui qu'on voit (*que* pronom relatif)
qu'avez-vous (*que* pronom interrogatif)
je sais qu'il viendra (*que* conjonction)
parce qu'il est sage (*parce que* locution conjonctive).

2. La

La hache : le mot commence par un H aspiré.

L'article défini ne s'élide donc pas. Vous trouverez la liste des principaux noms commençant par un H aspiré dans l’encadré qui accompagne le test nº 1.

3. Le

Le onzième : devant des noms de nombre, cardinaux ou ordinaux, la voyelle finale ne s’élide pas.

Vous direz : “*Le un* est un chiffre” ou : “J’écris *le onze* sur ma feuille” (et pourtant *dans le langage populaire* on parle de faire avaler à quelqu’un “le bouillon *d’onze* heures”).

Notez aussi que la voyelle de la préposition ne s’élide pas devant un nombre écrit en chiffres : près *de* 1 000 000.

4. Le

Le yacht : l’élision ne se fait pas devant certains mots comme : *oui* (je dis *que oui*), *yatagan*, *yole*, *yucca*.

On hésite sur le mot *ouate*. Vous pouvez dire ou écrire *l’ouate* ou *la ouate* mais vous direz obligatoirement : *un vêtement doublé d’ouate* (élision de la préposition *de* obligatoire).

5. L’

L’un (pronom) : ici, on vous avait précisé qu’il s’agissait du pronom et pas du nom de nombre. L’élision se produit : *l’un comme l’autre* ; *l’une comme l’autre*.

6. Le

On le harcèle : le verbe commence par un H aspiré. L’élision est impossible. Vérifiez l’initiale des verbes (ou des adjectifs) comme vous vérifiez celle des noms : *le hideux animal*.

7. Lorsque

Lorsque, un jour après : ici, il fallait bien noter la présence de la virgule, car la virgule empêche l'élision. J'écrirai : *parce qu'il est grand* mais : *parce que, en ce moment,...*

Nous reviendrons sur l'importance de la ponctuation. Mais, quand il n'y a pas de virgule (ou d'autre ponctuation) après *lorsque*, le E s'élide devant *en* (*lorsqu'en* écrivant), *il*, *elle*, *on*, *un*, *une* (*lorsqu'on* voit ; *lorsqu'un* homme).

Il ne s'élide pas ailleurs (*lorsque* arrive le printemps).

8. Quelqu'

Quelqu'un : l'adjectif *quelque* s'élide dans cette expression seulement (pronom indéfini).

9. Quelque

En quelque endroit : le mot *quelque* ne s'élide pas dans les autres cas.

— Notez encore que le mot *jusque* s'élide dans les locutions : *jusqu'à*, *jusqu'au*(x), *jusqu'en*, *jusqu'ici*, *jusqu'où*, *jusqu'alors*, *jusqu'à aujourd'hui* ;

— que le mot *presque* s'élide dans *presqu'île*, mais jamais ailleurs : *presque achevé*, *presque à l'heure*, etc. ;

— que le mot *contre* ne s'élide jamais : *contre-assurance*.

10. Puisque

Puisque en travaillant : les mots *puisque* et *quoique* s'élident devant *il(s)*, *elle(s)*, *on*, *un*, *une* (*puisqu'une* hirondelle ne fait pas le printemps ;

quoiqu'on soit mécontent) mais ils ne s'élident pas ailleurs et vous écrirez :

“J'accepte ma note *quoique* en maugréant, *puisque* en fin de compte je ne peux pas faire autrement.”

Entracte

Nous vous avons signalé dans l'introduction de ce test la préposition *entre*; comme élément d'un nom composé, elle s'élidait naguère devant une voyelle: *entr'acte*, *s'entr'aider*; la tendance est maintenant de ne plus observer cette règle et d'écrire en un seul mot: *entracte*, *entraider*, *entrouvrir*, etc.

Dans tous les cas où *entre* est préposition, **il n'y a pas d'élision**: *entre eux et nous*, *entre autres*, etc.

UN POINT, CE N'EST PAS TOUT

À plusieurs reprises, nous avons constaté — et souligné — l'importance de la ponctuation, pour le sens de la phrase, donc pour l'exacte compréhension d'un message, et pour l'orthographe qui, nous l'avons vu à l'occasion du test précédent (n° 46, point 7), peut changer en raison de la présence ou non d'une virgule. Un texte n'est clair que s'il est bien ponctué. Les latins qui, eux, ne ponctuaient pas leurs textes et même ne séparaient pas les mots apprenaient dès l'école à “préparer” un texte en établissant ces indispensables coupures et pauses. Nos langues modernes ne nous obligent plus à cette gymnastique : raison de plus pour ne pas négliger les signes précieux qu'elles nous offrent.

Voici le petit jeu auquel nous vous invitons : ponctuer un texte qui ne l'est pas. Vous verrez que ce n'est pas si facile. Nous allons vous y aider.
Le texte comporte, à la place des signes de ponctuation, des numéros. Vous retrouverez ces numéros dans la grille des réponses ; en face de chacun d'eux, vous direz quel signe vous auriez employé.

→ **Exemple**. Vous trouvez cette phrase : *Il est petit* (1). Ce (1) vous indique qu'il faut chercher la ponctuation ; en l'occurrence, c'est un point. Sur la grille, en face du n° 1 qui sera rappelé, vous écrirez en toutes lettres : *point*. Lorsqu'il s'agira de deux signes qui vont ensemble, comme les guillemets, qu'il faut ouvrir et fermer, nous répéterons le même numéro à l'endroit où s'écrit le premier signe et à l'endroit où s'écrit le second.

→ **Par exemple** : *Mais il dit : "Que je suis grand !"* sera noté dans le texte : Mais il dit (2) (3) que je suis grand (4) (3).

Vous écrirez, en réponse, en face du n° 2, "deux points", en face du numéro 3, "guillemets", en face du numéro 4, "point d'exclamation".

Pour vous guider, vous avez comme repères le sens du texte et la présence des majuscules, que nous avons maintenues.

Voici enfin **les signes** qui figuraient dans le texte et que vous devrez identifier et situer à leur place :

virgule,
deux points,
point-virgule,
point,
point d'exclamation,
point d'interrogation,
tirets,
guillemets

Jeux olympiques

Les sites olympiques se sont couverts d'affiches clamant (1) (2) La Savoie en fête (2) (3) Or la fête se déroule sans embouteillage (4) les stations sont (5) cette semaine (6) aux deux tiers vides de touristes (7) commerçants (8) restaurateurs et exploitants de remontées mécaniques font grise mine (9) Mais les invités des sponsors et les clients ne sont-ils pas ravis (10) Quelle euphorie aussi chez les industriels du ski (11) (12) Ces Jeux sont magnifiques (12) (13) déclare Mme Anne-Marie Berrette (14) secrétaire générale de Salomon (15) le fabricant de skis et de fixations (16) Chez Rossignol (17) c'est le leader européen du ski (17) n'affiche-t-on pas aussi la plus grande satisfaction (18) On peut donc dire que les Jeux (19) dans l'ensemble (20) ont profité au moins à l'industrie du ski.

(D'après un article de la revue *Le Nouvel Economiste*)

▶ Vos réponses

	Nom, en toutes lettres, du signe de ponctuation	Notes sur 2
1		
2		
3		
4		
5		
6		
7		
8		
9		
10		
11		
12		
13		
14		
15		
16		
17		
18		
19		
20		
	Total sur 20	

→ Réponses p. 318

▶ Réponses en vue de l'évaluation

1. deux points
2. guillemets
3. point
4. deux points
5. virgule
6. virgule
7. point-virgule
8. virgule
9. point
10. point d'interrogation
11. point d'exclamation
12. guillemets
13. virgule
14. virgule
15. virgule
16. point
17. tirets
18. point d'interrogation
19. virgule
20. virgule

Texte entièrement ponctué :

Jeux olympiques

Les sites olympiques se sont couverts d'affiches clamant : "La Savoie en fête". Or la fête se déroule sans embouteillage : les stations sont, cette semaine, aux deux tiers vides de touristes ; commerçants, restaurateurs et exploitants de remontées mécaniques font grise mine. Mais les invités des sponsors et les clients ne sont-ils pas ravis ? Quelle euphorie aussi chez les industriels du ski ! "Ces Jeux sont magnifiques", déclare Mme Anne-Marie Berrette, secrétaire générale de Salomon, le fabricant de skis et de fixations. Chez Rossignol — c'est le leader européen du ski — n'affiche-t-on pas aussi la plus grande satisfaction ? On peut donc dire que les Jeux, dans l'ensemble, ont profité au moins à l'industrie du ski.

▶ Réponses commentées

1. **Deux points**
Les deux points annoncent des paroles (ou un texte) que l'on répète directement et qu'on place entre guillemets. Les guillemets peuvent manquer. Les deux points annoncent aussi une énumération. *L'armée défile sur les Champs-Elysées : élèves des grandes écoles militaires, chars, pièces d'artillerie, fantassins, pompiers.*

2. **Guillemets**
Ne pas les oublier quand on rapporte les paroles directement.
Ne pas oublier de fermer les guillemets.
Quand on rapporte une conversation, le changement d'interlocuteur est indiqué par un retour à la ligne avec tiret.
"*Viendrez-vous ?*
— *Quand ?*
— *Demain.*
— *Entendu.*"
Ici, on ne rapportait pas des paroles, mais un slogan figurant sur les banderoles.

3. **Point**
Le point indique la fin d'une phrase. Ici, la présence de la majuscule, à l'initiale de la phrase suivante, ne vous permettait pas d'erreur. D'autre part, vous ne pouviez pas vous tromper et placer le point avant les guillemets car le numéro correspondant aux guillemets (ouverture et fermeture) était situé avant le numéro signalant le point. Mais il arrive que le point soit à l'intérieur des guillemets (s'il s'agit de la citation d'une

longue phrase). Dans ce cas, on ne le répète pas après.

« *Il dit : "Je ne saurais répondre de vos dettes ; désormais, halte-là !" L'autre resta muet.* »

4. Deux points

Les deux points annoncent ici une phrase explicative. Ils correspondent à la conjonction *car*.

5.6. Virgule

La virgule marque une pause brève dans le déroulement de la phrase. Il est fréquent (c'est le cas ici) que deux virgules isolent un complément pour attirer l'attention sur lui.

7. Point-virgule

Le point-virgule marque une pause importante après un membre de phrase qui pourrait constituer une phrase complète (ce membre de phrase doit normalement comporter au moins une proposition indépendante ou une principale).

8. Virgule

Cette virgule intervient dans une énumération pour séparer chaque élément de celle-ci ; mais vous remarquerez qu'elle est remplacée par la conjonction *et* entre l'avant-dernier et le dernier terme de l'énumération.

9. Point

Voir n° 3.

10. Point d'interrogation

Il est ici rigoureusement indispensable dans une

phrase interrogative, où l'interrogation est encore soulignée par l'inversion du sujet. Il s'agit d'une interrogation directe.

Ce n'est d'ailleurs qu'une interrogation feinte car la réponse est connue d'avance : *Si, les invités et les clients sont ravis*. Cette fausse interrogation se nomme "interrogation oratoire" (c'est un effet cherché par l'orateur ou par l'auteur).

11. Point d'exclamation

De même qu'il ne faut pas oublier le point d'interrogation après une interrogation directe, il ne faut pas oublier le point d'exclamation dans une phrase exclamative (celle-ci, avec l'adjectif exclamatif *quelle*, est sans ambiguïté). N'oubliez pas non plus le point d'exclamation après une interjection : *Ah !*

12. Guillemets

Il s'agit ici des propos rapportés directement.

13. Virgule

Après les guillemets, la virgule sépare la citation de la suite du texte, quand la citation est incluse dans la phrase.

14.15. Virgule

Ici les deux virgules encadrent et soulignent une apposition.

16. Point

Voir n° 3 et n° 9.

17. Tirets

L'expression *c'est le leader européen du ski*

aurait pu être réduite à une simple apposition et on aurait écrit : *Chez Rossignol, leader européen du ski*, etc., en se servant des virgules (voir n°s 14-15) ; dès lors qu'on a introduit une proposition complète, indépendante, elle constitue une *parenthèse* dans la phrase. Il faut la mettre entre *parenthèses*, précisément, ou, comme ici, entre tirets. Vous n'aviez pas le choix puisque seuls les tirets vous avaient été proposés dans l'arsenal des signes de ponctuation à utiliser.

18. Point d'interrogation

Le cas n'est pas nouveau. Nous retrouvons la même "interrogation oratoire" qu'au numéro 10. Profitons-en pour vous donner une dernière indication. Si vous aviez eu affaire à une interrogation indirecte du type : *L'auteur se demande si chez Rossignol on n'affiche pas aussi la plus grande satisfaction*, vous n'auriez pas mis de point d'interrogation à la fin, mais un point ordinaire.

19.20. Virgule

C'est le cas signalé sous les numéros 5-6.

LES MOTS EN MAJESTÉ

Tout le monde sait que la majuscule se met au commencement d'une phrase, d'une citation ou d'un vers (dans la poésie traditionnelle) :

Quel temps a-t-il fait ? — Dur. — Et la pêche ? — Mauvaise. (Victor Hugo)

Il y avait dans son vêtement un pli qui disait : "Je ne suis pas le pli de la mort, mais le pli de l'assassinat." (Jean Giraudoux)

On sait aussi que le nom propre reçoit une majuscule : la majuscule est l'habit de cérémonie qui met un mot "en majesté".

Mais les usages sont un peu plus complexes. Connaissez-vous les principaux ?

Nous allons vous soumettre dix cas usuels présentant diverses solutions (majuscule ou pas de majuscule). Chaque solution sera signalée par une lettre A, B (éventuellement C). Dans la case prévue sur la grille des réponses, vous inscrirez la lettre choisie par vous comme étant celle de la bonne solution.

→ **Exemple :** faut-il mettre une majuscule à un surnom ?

Choisissez entre les trois orthographes suivantes :

A. Charles Le Chauve
B. Charles le chauve
C. Charles le Chauve

Réponse : C (à inscrire dans la case de droite).

Voici maintenant les problèmes qui vous sont soumis

1. Faut-il une majuscule à l'article qui fait partie d'un nom propre ?
   A. Jean de La Bruyère
   B. Jean De La Bruyère
   C. Jean de la Bruyère

2. Vous écrivez au préfet. Quelle est l'en-tête de la lettre ?
   A. Monsieur le Préfet
   B. M. le Préfet
   C. monsieur le Préfet

3. Vous écrivez à M. Durand. Comment présentez-vous l'enveloppe ?
   A. M. Durand
   B. Monsieur Durand
   C. monsieur Durand

4. Vous étudiez une langue vivante. Qu'allez-vous écrire ?
   A. J'étudie l'Espagnol
   B. J'étudie l'espagnol

5. Vous parlez de géographie. Comment définirez-vous la frontière ? En écrivant :
   A. la frontière Française
   B. la frontière française

6. Il est question d'un étranger. Qu'écrirez-vous ?
   A. Cette personne est allemande
   B. Cette personne est Allemande

7. Pour le nom des habitants d'un pays, majuscule ou pas ?
   A. Nous avons pour voisins les anglais
   B. Nous avons pour voisins les Anglais

8. À travers l'histoire. Comment écrivez-vous ?
   A. la grande guerre (de 1914-1918)
   B. la grande Guerre
   C. la Grande Guerre

9. Donnez la bonne adresse :
   A. rue du faubourg saint Antoine
   B. rue du Faubourg-Saint-Antoine
   C. rue du faubourg Saint-Antoine

10. Comment notez-vous la date ?
    A. samedi 15 février
    B. Samedi 15 Février
    C. samedi 15 Février

▶ Vos réponses

		Lettre choisie	Notes sur 2
1	A. Jean de La Bruyère B. Jean De La Bruyère C. Jean de la Bruyère		
2	A. Monsieur le Préfet B. M. le Préfet C. monsieur le Préfet		
3	A. M. Durand B. Monsieur Durand C. monsieur Durand		
4	A. J'étudie l'Espagnol B. J'étudie l'espagnol		
5	A. la frontière Française B. la frontière française		
6	A. Cette personne est allemande B. Cette personne est Allemande		
7	A. Nous avons pour voisins les anglais B. Nous avons pour voisins les Anglais		
8	A. la grande guerre (de 1914-1918) B. la grande Guerre C. la Grande Guerre		
9	A. rue du faubourg saint Antoine B. rue du Faubourg-Saint-Antoine C. rue du faubourg Saint-Antoine		
10	A. samedi 15 février B. Samedi 15 Février C. samedi 15 Février		
		Total sur 20	

→ Réponses p. 328

À propos d'un grand homme

Faut-il écrire "Charles **de** Gaulle" ou Charles **De** Gaulle"? Le *De* correspond ici à la forme flamande de l'article *le* (vous connaissez certainement beaucoup de noms flamands qui commencent ainsi). Puisque c'est un article qui fait partie intégrante du nom et non une particule nobiliaire, l'illustre général devrait figurer dans nos dictionnaires sous la lettre D et non sous la lettre G et, bien sûr, l'initiale D de son nom devrait être écrite en majuscule. Mais l'usage a consacré ces deux graphies, dans deux cas différents: "Ainsi que l'affirmait De Gaulle..." et: "Ainsi que l'affirmait le général de Gaulle..."

Quand un point n'est pas suivi d'une majuscule

Cela peut arriver si l'on considère que le point ne marque pas la fin d'une phrase. La phrase continue en effet quelquefois après le point:

Qui êtes-vous? un élève? un érudit? un professeur? J'aimerais le savoir... mais je l'ignore.

Les trois premiers points d'interrogation ne portaient pas sur la totalité de la phrase, qui ne s'achève qu'après le mot *professeur*. C'est seulement après ce dernier mot et son point d'interrogation que commence la phrase suivante, avec sa majuscule. De même, les points de suspension n'ont qu'interrompu la deuxième phrase: elle se prolonge jusqu'au verbe *ignore*.

▶ Réponses en vue de l'évaluation

1. A	6. A
2. A	7. B
3. B	8. C
4. B	9. B
5. B	10. A

▶ Réponses commentées

1. Jean de La Bruyère

L'écrivain est connu sous le nom *La Bruyère* et vous le trouvez dans le dictionnaire à la lettre L. L'article, dans ce cas, fait partie intégrante du nom. Il prend une majuscule. En revanche, la particule *de* (sans être pour autant une preuve de noblesse) s'écrit avec une minuscule, parce que ce n'est pas un article.

À plus forte raison, quand la particule *de* ou *d'* précède un nom nobiliaire, elle s'écrit avec une minuscule :

Haute et puissante dame Yolande Cudasne
Comtesse de Pimbêche. (Racine)

2. Monsieur le Préfet

On dote d'une majuscule et on écrit en toutes lettres les noms *Monsieur*, *Madame*, *Mademoiselle*, *Maître*, etc., employés en apostrophe comme formule de politesse dans les lettres quand ils figurent seuls ou quand ils sont suivis d'un nom de personne ou de qualité. On n'écrit les mots en abrégé que si l'on ne s'adresse pas à la personne (si on parle d'elle à la 3e personne : "J'ai rencontré *M. Dupont*").

3. **Monsieur Durand**
L'enveloppe de votre lettre *s'adresse* (comme le nom l'indique, puisqu'elle porte ce qu'on appelle une *adresse*) personnellement à M. Durand. Vous lui parlez donc, dès l'enveloppe, à la deuxième personne : *Monsieur* doit comporter la majuscule et doit être écrit en toutes lettres. Procéder autrement est une impolitesse.

4. **J'étudie l'espagnol**
Le nom *espagnol* ne désigne pas une personne, mais la langue. Il ne prend pas de majuscule. De même, vous direz : "J'ai étudié *le latin*, *l'anglais*..."

5. **La frontière française**
Les adjectifs ne prennent en général pas de majuscule : *le peuple français*, *la République française.*

6. **Cette personne est allemande**
Bien qu'il s'agisse d'une personne, il faut noter qu'*allemande* est ici un *adjectif* attribut. Il ne prend donc pas la majuscule.

7. **Nous avons pour voisins les Anglais**
Cette fois, il s'agit bien du nom des habitants d'un pays. Il faut mettre la majuscule. Vous la mettrez aussi au nom des habitants d'une ville : *les Parisiens*, ou d'une région : *les Gascons*.

En ce qui concerne les mots se rapportant à la **Nation**, à la **Religion** ou à la **Société**, il est encore bon de retenir les quelques principes suivants : les noms des grands établissements publics, des corps constitués et des sociétés savantes prennent la majuscule : *l'Académie française*, *l'Assemblée nationale.*

Le mot *Église* prend la majuscule quand il désigne l'ensemble des fidèles d'une religion ou l'institution (mais pas quand il désigne le bâtiment) : *l'Église catholique*, l'église du village.

Le mot *Saint* prend la majuscule quand il entre dans la composition d'un nom propre désignant une personne (le duc de *Saint*-Simon) ou une rue, par exemple (la rue *Saint*-Denis).

On met une majuscule au nom d'une fête religieuse (*l'Ascension*) ou nationale (*la Libération*).

8. La Grande Guerre

Mettez une majuscule au nom des grandes époques de l'histoire (le Moyen Âge) ou des grands événements historiques (la guerre de Cent Ans). Vous remarquerez que, dans ce cas, il arrive que l'adjectif reçoive une majuscule, contrairement à la règle générale (voir ci-dessus n° 5). Les noms communs devenus surnoms historiques prennent la majuscule : *Louis le Grand.*

9. La rue du Faubourg-Saint-Antoine

Vous savez déjà que le mot *Saint* prend dans ce cas la majuscule et qu'il s'unit au nom du saint (voir ci-dessus n° 7). On écrit : *saint Antoine* lorsqu'on parle de la personne et *Saint-Antoine* quand on nomme l'église ou le quartier.

Les noms propres de pays, de contrées, de montagnes, de fleuves, de villes, de rues, de monuments prennent la majuscule : l'Afrique, les Alpes, le Rhône, Paris, la rue Emile-Zola, l'Hôtel de Ville (de Paris), etc.

Les noms des points cardinaux ne prennent une majuscule que lorsqu'ils désignent une contrée : *Je demeure dans l'Est* mais : *Je me dirige vers l'est* ou : *Je n'aime pas le vent du nord.*

Il arrive qu'un adjectif prenne une majuscule dans le cas des faits géographiques. On écrira : *les montagnes Rocheuses, la mer Noire.*

10. samedi 15 février

Les noms des jours et des mois ne prennent pas de majuscule. Exception : lorsqu'ils désignent une fête. Exemple : *le 14 Juillet.*

ÉVALUATION RÉCAPITULATIVE
DU CHAPITRE VIII

Numéro du test		Note sur 20
43	DU GRAVE À L'AIGU	
44	ET LES AUTRES ?	
45	SAVOIR UNIR	
46	ET SAVOIR APOSTROPHER	
47	UN POINT, CE N'EST PAS TOUT	
48	LES MOTS EN MAJESTÉ	

Total sur 120	
Note sur 20 (total divisé par 6)	

IX

Ouvrons l'œil

Les chapitres précédents vous ont fait faire le tour complet des problèmes orthographiques. On n'est cependant jamais sûr de tout savoir, et puis la vigilance est parfois en défaut. C'est pourquoi il faut toujours s'assurer qu'on "ouvre l'œil". Le présent chapitre, en vous proposant des tests inédits sur les thèmes que vous avez passés en revue, vous fera voir si vous avez retenu, assimilé tout ce qui vous a été rappelé jusqu'ici.

FAITES LE BON CHOIX

Nous vous donnons dix phrases en vous indiquant, entre parenthèses, deux orthographes entre lesquelles vous aurez à choisir. Ce choix sera rappelé dans la grille réservée aux réponses. Vous écrirez dans la case de droite l'orthographe que vous retenez.

→ **Exemple :** nous écrivons : *Vous êtes (censé - sensé) quand vous parlez ainsi.* Dans la grille nous répétons à gauche : *censé - sensé*. Vous écrivez à droite dans la grille : *sensé*.

1. Il faut briser l'écorce pour déguster l'(amende - amande).
2. Vous paierez une forte (amende - amande).
3. C'est au printemps qu'on (bute - butte) les asperges.
4. Il est en (bute - butte) à bien des difficultés.
5. Je ne l'ai pas (cru - crû).
6. C'est un bon (cru - crû) de Bourgogne.
7. Je suis (dégoûté - dégoutté) de la nouveauté.
8. C'est un parapluie (dégoûtant - dégouttant) d'eau.
9. J'aime les (dessins - desseins) animés.
10. Vous nourrissez de noirs (dessins - desseins).

▶ Vos réponses

	Choisissez l'un ou l'autre	Votre réponse	Notes sur 2
1	amende - amande		
2	amende - amande		
3	bute - butte		
4	bute - butte		
5	cru - crû		
6	cru - crû		
7	dégoûté - dégoutté		
8	dégoûtant - dégouttant		
9	dessins - desseins		
10	dessins - desseins		
		Total sur 20	

→ Réponses p. 336

▶ Réponses en vue de l'évaluation

1. amande
2. amende
3. butte
4. butte
5. cru
6. cru
7. dégoûté
8. dégouttant
9. dessins
10. desseins

▶ Réponses commentées

1. Amande

Il faut briser l'écorce pour déguster *l'amande*. Vous pourrez vous reporter au chapitre IV, test 19, où nous vous avons familiarisé avec les pièges de l'homophonie.

2. Amende

Vous paierez une forte *amende*.

Vient du verbe *amender*, du latin *amendare* = enlever la faute (*menda*).

3. Butte

C'est au printemps qu'on *butte* les asperges.

Butter, c'est amasser la terre en forme de petites *buttes*. Ne pas confondre avec *buter* (*buter contre un obstacle*).

4. Butte

Il est en *butte* à bien des difficultés.

Il ne fallait pas se laisser tromper par cette petite malice. Vous vous souviendrez qu'*être en butte à quelque chose* vient du mot *butte* (ci-dessus n° 3), élévation de terrain ; par extension, désigne une élévation servant de support à une cible, enfin, la cible elle-même. *Être en butte aux difficultés*, c'est être la cible de ces difficultés.

5. Cru

Je ne l'ai pas *cru*.

Cru est le participe passé du verbe *croire*, à ne pas confondre avec *crû*, participe passé du verbe *croître* : *Cet arbre a crû trop vite*. Mais : *Vous avez cru trop vite que le succès était là*.

6. Cru

C'est un bon *cru* de Bourgogne.

Le mot *cru* vous a peut-être trompé. En effet, c'est un mot à malices ! Sans accent circonflexe, *cru* peut signifier :

1) ce qui n'est pas cuit : *un fruit cru* ;

2) ce qui est dit sans ménagement : *un mot cru*, *des propos crus*, *des paroles crues* ;

3) la production de la vigne, particulière à une région : *un cru de Bourgogne*, *les divers crus du Bordelais*, etc. ;

4) l'accroissement d'un arbre, en termes d'économie rurale : *le cru d'une forêt* ;

5) ce qui appartient en propre à quelqu'un : "*Encore une invention de son cru* !"

Il faut donc se garder de confondre tous ces mots avec le mot *crû* (accent circonflexe), participe passé du verbe croître (malgré la parenté de beaucoup des mots indiqués ci-dessus avec le verbe en question), ou encore avec le nom *crue* (*les crues de la Garonne*).

7. Dégoûté

Je suis *dégoûté* de la nouveauté.

Verbe *dégoûter*, qui vient de *goût* (latin *gustus* : notez le S qui se retrouve sous la forme de l'accent circonflexe).

8. Dégouttant

C'est un parapluie *dégouttant* d'eau.

Il ne faut pas confondre le verbe *dégoûter* (voir plus haut, n° 7) et le verbe *dégoutter*, qui vient du nom *goutte*. Les mots de la famille de *goutte* prennent deux T (*gouttelette*, *goutteux*, *gouttière*, *goutter*, *dégoutter*, *égoutter*, *égouttoir*, *égouttage*, *égoutture* : dernières gouttes qui s'échappent d'un récipient) sauf : *égout*, *égoutier*.

De la même manière, il ne faut pas confondre *dégouttant* et *dégoûtant*. Notre parapluie de tout à l'heure peut être “dégouttant” sans être pour autant “dégoûtant”. Mais il est vrai que si j'arrive dégouttant sur votre seuil, vous risquez de ne pas me trouver très ragoûtant.

9. Dessins

J'aime les *dessins* animés.

Le *dessin* est un déverbal de *dessiner* ; le mot était écrit indifféremment *dessein* ou *dessin* jusqu'au XVIIIe s. Mais, pour bien distinguer le sens de *dessin* (représentation d'un objet au crayon) et celui de *dessein* (intention, voir ci-après), la première orthographe a été adoptée (*dessin*) sous l'influence de l'italien *disegno*. L'expression *dessin animé* se trouve employée pour la première fois en 1916 par le journal *Le Temps*.

10. Desseins

Vous nourrissez de noirs *desseins*.

Dessein = intentions. L'orthographe distincte est expliquée ci-avant.

C, Q

Les lettres C et Q se livrent parfois, dans l'orthographe d'usage, à d'étranges variations. *Suffoquer* (avec Q) a donné *suffocant* (avec C). Nous avons vu, d'ailleurs (chapitre IV, test 23), de nombreux cas où un participe se transformait en devenant adjectif, comme ce participe *suffoquant*, du verbe *suffoquer*, devenu l'adjectif *suffocant*.

Mais il y a bien d'autres transformations en dehors de ces cas dont nous vous avons parlé. Nous allons les rencontrer à la faveur de notre petit jeu des définitions. Vous devrez trouver le mot défini **qui appartiendra à la famille du mot en caractères gras**.

→ **Exemple :** nous vous proposons la définition suivante : *Faire une* ***marque****, c'est…* Dans la grille des réponses, vous écrirez entre les crochets le mot défini : *Faire une marque, c'est* [*marquer*].

1. Constituer des **stocks**, c'est…
2. Un acte qui peut **s'expliquer** est un acte…
3. Un acte qui doit être **critiqué** est un acte…
4. Le féminin de l'adjectif **caduc** s'écrit…
5. Un **banc** de glace formé d'eau de mer au large des côtes polaires s'appelle une…
6. Une personne qui se livre à des **trafics** louches est un…
7. **Expliquer**, c'est donner une…
8. **Publier** un avis, c'est faire une…
9. Le lieu où l'on **s'embarque** est un…
10. Un petit **coq** est un…

▶ Vos réponses

		Notes sur 2
1	Constituer des stocks, c'est [......................].	
2	Un acte qui peut s'expliquer est un acte [......................].	
3	Un acte qui doit être critiqué est un acte [......................].	
4	Le féminin de l'adjectif caduc s'écrit [......................].	
5	Un banc de glace formé d'eau de mer au large des côtes polaires s'appelle une [......................].	
6	Une personne qui se livre à des trafics louches est un [......................].	
7	Expliquer, c'est donner une [......................].	
8	Publier un avis, c'est faire une [......................].	
9	Le lieu où l'on s'embarque est un [......................].	
10	Un petit coq est un [......................].	
	Total sur 20	

→ Réponses p. 342

▶ Réponses en vue de l'évaluation

1. stocker
2. explicable
3. critiquable
4. caduque
5. banquise
6. trafiquant
7. explication
8. publication
9. embarcadère
10. cochet

▶ Réponses commentées

1. Stocker

Constituer des *stocks*, c'est *stocker*.

Les verbes en *-quer* s'écrivent toujours avec QU sauf *polker* (danser la polka) et *stocker*.

2. Explicable

Un acte qui peut *s'expliquer* est un acte *explicable*.

Les adjectifs en *-cable* s'écrivent avec un C : *communicable*, *explicable*, *incommunicable*, *inexplicable*, *praticable*, etc.

3. Critiquable

Un acte qui doit être *critiqué* est un acte *critiquable*.

La règle donnée sous le n° 2 connaît les exceptions suivantes : *attaquable*, *critiquable*, *immanquable*, *inattaquable*, *remarquable*, *rétorquable*, *risquable*.

Retenez aussi l'adjectif *impeccable*, avec deux C.

4. **Caduque**
Le féminin de l'adjectif *caduc* s'écrit *caduque*. Il en est de même des adjectifs *public* et *turc*.

5. **Banquise**
Un banc de glace formé d'eau de mer au large des côtes polaires s'appelle une *banquise*.

• Voici quelques familles de mots où **le C se transforme en QU** autrement que dans un verbe en *-quer*.

ammoniac (gaz) : ammoniacal, ammoniaque (liquide)
banc : bancaire, bancal, banco, banque, banquet, banquise
crac : craquement
déclic : cliquet, cliquetis, encliquetage (mécanisme qui s'oppose à la rétrogradation d'un mouvement)
échec : échiquier
parc : parcage, parquet
pic : picot, piquet, piqûre
trafic : trafiquer, trafiquant, trafiqueur
truc : trucage, truqueur

6. **Trafiquant**
Une personne qui se livre à des trafics louches est un *trafiquant*. Vous trouvez le mot dans la liste du n° 5.

Pratiquement, le mot *trafiquant* a éliminé le mot *trafiqueur*. Mais au XXe siècle on a créé : *traficoter*. Signe des temps !

7. **Explication**
Expliquer, c'est donner une *explication*.

Avec ce mot *explication*, dans la même famille,

notez : *explicable* (voir nº 3), *explicatif*, *explicite* (complet, exempt de sous-entendus) qui a donné *expliciter* (rendre *explicite* ; ne pas confondre avec *expliquer*).

8. Publication

Publier un avis, c'est faire une *publication*.

• **Notez :** public, publier, publication, république (et voir ci-dessus nº 4).

• Voici encore quelques familles de mots où **le C se transforme de diverses manières** :

arc : arcade, arceau, arçon, arche
bec : bécasse, becquée, béquille
blanc : blanchir, blanquette
bloc : blocage, blocus, bloquer, débloquer, blockhaus (mot allemand)
croc : accroc, crochet, crocheter, crocheteur
flanc : efflanqué
franc : franco, français, franchement, à la bonne franquette
lac : lacustre, lagune
roc : rocaille, roche

9. Embarcadère

Le lieu où l'on s'embarque est un *embarcadère*.

Famille de *barque* : barcarolle, embarcadère, embarcation, barquette, débarquer, embarquer, débarquement, embarquement.

10. Cochet

Un petit coq est un *cochet*.

Famille de *coq* : cocarde, cochet, coquelicot, coquetier.

• Autres familles de mots où **le QU se transforme de diverses manières** :

bosquet : boqueteau, bûche, débusquer, embuscade
disque : discobole
plaque : placage, placard
rauque : raucité (caractère d'un son *rauque*).
Et vous savez que *bibliothèque* a donné *bibliothécaire* (test 21, point 9).

L'explication

Le verbe *expliquer* vient du latin *explicare* (déployer, développer) qui vient lui-même de *plicare* (plier) ; *expliquer*, c'est, en somme, le contraire de *plier* (idée de *ex* = hors de) : *plier en dehors*, c'est *déplier*. Le verbe latin *explicare* a donné logiquement en latin le nom *explicatio* (où vous retrouvez le C de *explicare*). Les savants ont repris directement au latin le mot *explicatio* pour en faire le mot français *explication* (XIVe s.).

Le mot est donc venu directement du latin sans passer par le verbe. C'est là toute… l'explication !

ILS NE SONT PAS D'ICI

Dans le chapitre VI (test 34), nous avons attiré votre attention sur le pluriel des noms empruntés aux langues étrangères (anciennes ou modernes). Il est des mots très usités devant lesquels vous restez embarrassé lorsqu'il s'agit de les mettre au pluriel. Vous allez vous en rendre compte en traitant une liste de dix mots "qui ne sont pas d'ici" et sur lesquels il faut… ouvrir l'œil. Vous écrirez le pluriel dans la grille des réponses en face des mots donnés au singulier dans la partie gauche.

▶ Vos réponses

	Singulier	Pluriel	Notes sur 2
1	un steamer	des	
2	un veto	des	
3	une lady	des	
4	un intérim	des	
5	un in-quarto	des	
6	un match	des	
7	un post-scriptum	des	
8	un sandwich	des	
9	un duplicata	des	
10	un nota bene	des	
		Total sur 20	

→ Réponses p. 348

▶ Réponses en vue de l'évaluation

1. steamers
2. veto
3. ladies
4. intérim
5. in-quarto (ou in-quartos)
6. matches (ou matchs)
7. post-scriptum
8. sandwiches (ou sandwichs)
9. duplicata
10. nota bene

▶ Réponses commentées

1. Steamers

Règle : Les noms d'origine étrangère prennent en général la marque du pluriel avec S lorsqu'ils sont anciens ou très usuels dans notre langue.

2. Veto

Bien que ce mot soit employé depuis longtemps, il reste invariable. C'est un mot latin, un verbe (1re personne du singulier) qui veut dire "je défends" ou "je m'oppose" (à une mesure, à une décision). Par exemple, *le droit de veto* est accordé à chacun des membres permanents du Conseil de sécurité de l'O.N.U.

Attention, malgré la prononciation (latine), le mot ne comporte pas d'accent.

3. Ladies

C'est le pluriel anglais. On écrit, de même : *un baby, des babies*.

4. **Intérim**
Encore un mot latin (il signifie : "pendant ce temps"). Il désigne la durée pendant laquelle une fonction est remplie par une autre personne que son titulaire. Ici, vous noterez que l'usage a imposé l'accent sur E.

5. **In-quarto**
Expression latine invariable. Se dit du format où la feuille est pliée en *quatre* feuillets qui donnent *huit* pages.

Règle : Les noms étrangers composés de plusieurs mots restent invariables. Toutefois, il arrive qu'on écrive : *des in-quartos*.

Aussi compterons-nous cette réponse comme valable, sans toutefois la recommander.

6. **Matches (ou matchs)**
Pluriel anglais recommandé.

7. **Post-scriptum**
Expression latine : "ce qui a été écrit après coup" (à la suite d'une lettre, par exemple).

L'expression est invariable (voir la règle exposée sous le n° 6).

Petit détail relatif aux bons usages : sauf dans une lettre familière, adressée à un correspondant que l'on traite d'égal à égal, il n'est pas de bon ton d'ajouter *un post-scriptum*. Et, dans ce cas, il est conseillé de présenter ses excuses.

8. **Sandwiches (ou sandwichs)**
Pluriel de forme anglaise (voir ci-dessus : *matches*).

Cependant la forme francisée *sandwichs* est admise.

9. **Duplicata**
Mot latin. Le mot désigne le double d'un document. **Il reste invariable.**

On employait naguère une forme plus logique en écrivant : *un duplicatum*. Il s'agit d'un *neutre* singulier latin qui convenait très bien, alors que *duplicata* est un neutre pluriel, ce qui explique qu'on ne puisse pas encore lui donner un S, marque française du pluriel. En toute rigueur, on aurait dû prendre l'habitude de dire : *un duplicatum*, *des duplicata* au lieu de : *un duplicata*, *des duplicata*.

10. **Nota bene**
Ici s'applique la règle qui veut qu'on laisse invariable un nom formé de deux mots étrangers. *Nota bene* est une expression latine qui signifie : “Notez bien”.

Plaidoyer *pro domo*

Pour les expressions latines passées directement en français, nous nous permettons de vous renvoyer à notre ouvrage *100 expressions latines usuelles traduites et expliquées* (Marabout, MS 1205).

ILS S'ASSEMBLENT POUR NOUS TROMPER

Vous êtes familiarisé, depuis le test 35 (chapitre VI), avec les pluriels des noms composés. Mais c'est, là encore, un sujet d'embarras qu'on n'épuise pas si vite, surtout si nous nous trouvons en présence (et c'est fréquent) de certaines appellations, de certains titres, de tels noms communs dont nous ne nous sommes jamais demandé quel était le pluriel. Certes, tout le monde sait que le pluriel de *mademoiselle* est *mesdemoiselles*. Mais quel est le pluriel de *monseigneur* ?

Voici donc une occasion de vérifier quelques cas intéressants, dont la plupart sont fréquents. Il s'agira de compléter les dix phrases suivantes. Dans certaines de ces phrases, le singulier est indiqué entre parenthèses ; dans d'autres phrases il est annoncé et un blanc est laissé à la place du pluriel.

Dans tous les cas, le singulier est rappelé dans la grille des réponses ; à droite de ce singulier, vous écrirez, dans cette même grille, le pluriel convenable.

→ **Par exemple**, à propos de la phrase : *Si je parle à une jeune fille, je lui dis : "Mademoiselle", mais si elles sont plusieurs je dis : "   "*, on vous redira, dans la partie gauche de la grille (réservée aux singuliers) : *mademoiselle*, et vous écrirez dans la partie droite : *mesdemoiselles*. Si on vous propose la phrase : *La cuisinière m'a confectionné des (tôt-fait)*, le mot *tôt-fait* sera redonné au singulier dans la partie gauche de la grille et, à droite, vous écrirez le bon pluriel : *tôt-faits*.

1. Madame de Chateaubriand appelait les amies de son mari “les (madame)”.
2. “Il a parlé à monseigneur l’évêque” fera, au pluriel, “Il a parlé à ”.
3. Et, s’adressant à ceux-ci, il leur a dit : “(Monseigneur)”.
4. Quelqu’un, s’adressant à un général, lui dit : “Mon Général” ; mais, s’il s’adresse à plusieurs généraux, il leur dira : “ ”.
5. Les enfants fabriquent des (bonhomme) de neige.
6. Elle a fréquenté l’école des (sage-femme).
7. Nos (arrière-grand-mère) portaient des bonnets.
8. Le repas a commencé par des (hors-d’œuvre) excellents.
9. Les combats ont mis hors d’usage plusieurs (pipeline).
10. J’espère que vous vous êtes bien tiré de ces (casse-tête).

▶ Vos réponses

	Singulier	Pluriel	Notes sur 2
1	madame		
2	monseigneur l'évêque		
3	Monseigneur		
4	Mon Général		
5	bonhomme		
6	sage-femme		
7	arrière-grand-mère		
8	hors-d'œuvre		
9	pipe-line		
10	casse-tête		
		Total sur 20	

→ Réponses p. 354

▶ Réponses en vue de l'évaluation

1. madames
2. nosseigneurs les évêques
3. Messeigneurs
4. Messieurs les Généraux
5. bonshommes
6. sages-femmes
7. arrière-grand-mères (ou : arrière-grands-mères)
8. hors-d'œuvre
9. pipe-lines
10. casse-tête (ou casse-têtes)

▶ Réponses commentées

1. Madames

Madame de Chateaubriand appelait les amies de son mari "*les madames*". Le maintien (au pluriel) de l'adjectif possessif singulier (au lieu de dire : *les dames*) donne à l'expression une valeur ironique. Madame de Chateaubriand n'avait guère de raisons d'éprouver de l'affection pour des rivales ! Le terme *les madames* fait penser à des personnes hautaines et cérémonieuses. Noter que si l'on peut dire : *des madames*, on ne dira jamais *des mesdames*, mais *des dames*. Cependant on dit fort bien : *des messieurs* (c'est même la seule expression usuelle). Fantaisie de la langue !

2. Nosseigneurs les évêques

"Il a parlé à monseigneur l'évêque" fera au pluriel : "Il a parlé à *nosseigneurs les évêques.*"

Le pluriel *nos* de la première partie du mot *nosseigneurs* (l'adjectif possessif) marque la pluralité des personnes désignées (*seigneurs*) et le collectif qui englobe les personnes du locuteur (*il* a parlé) et du narrateur (l'auteur de la phrase, qui est censé être à la 1re personne) d'où l'adjectif possessif de la **1re personne du pluriel**. (Vous ne sauriez écrire ni : *ses seigneurs*, 3e p., ce qui ne correspond pas au singulier *monseigneur*, 1re p., ni : *messeigneurs* puisque vous rapportez les paroles d'une tierce personne qui marque aussi sa déférence à l'égard de l'évêque.)

3. **Messeigneurs**
Et, s'adressant à ceux-ci, il leur a dit : "Messeigneurs".
Ici, vous n'avez plus à intervenir comme auteur. Seul parle le locuteur, puisque vous citez ses paroles au style direct. Il n'y a donc plus qu'un seul "possesseur" qui parle à la 1re p. du singulier. Le pluriel *mes* est obligatoire puisqu'il s'applique à un nom pluriel (*seigneurs*).

4. **Messieurs les Généraux**
Quelqu'un, s'adressant à un général, lui dit : "Mon Général" ; mais, s'il s'adresse à plusieurs généraux, il leur dira : "Messieurs les Généraux." Il faut savoir que le terme *mon* dans des expressions comme "*Mon* Colonel", "*Mon* Général" n'est pas un adjectif possessif, mais l'abrégé de *monsieur*. Le pluriel de *mon* (= *monsieur*) ne saurait être la seule première partie du terme composé ; on emploie la forme complète du pluriel de *monsieur* : *messieurs*.

5. **Bonshommes**
Les enfants fabriquent des *bonshommes* de neige.
Vous avez rencontré ce type de noms composés agglutinés dont les deux parties prennent la marque du pluriel (*un gentilhomme*, des *gentilshommes* : voir test 35).

6. **Sages-femmes**
   Elle a fréquenté l'école des *sages-femmes*.
   Vous connaissez la règle qui veut que les noms composés de deux noms apposés prennent la marque du pluriel pour les deux éléments (vous avez vu le mot *choux-fleurs* à propos du test 35).
   La même règle s'applique dans le cas où le nom composé est formé d'un nom accompagné de son déterminant si le déterminant est un adjectif : *des sages-femmes*, *des plains-chants*, *des cerfs-volants*.

7. **Arrière-grand-mères (ou arrière-grands-mères)**
   Nos arrière-grand-mères portaient des bonnets.
   Arrière reste invariable en tant qu'adverbe. *Grand* reste invariable comme dans l'expression une *grand-mère* (pas de E à l'adjectif), *des grand-mères* (pas de marque du pluriel ; on tolère toutefois l'orthographe *des grands-mères*).
   Vous savez que *grand* ne prend pas la forme spéciale au féminin (l'adjectif latin *grandis*, accusatif : *grandem*, d'où dérive le mot *grand* avait la même forme au masculin et au féminin).

8. **Hors-d'œuvre**
   Le repas a commencé par des *hors-d'œuvre* excellents.

   Règle : Dans un groupe préposition + complément, ce dernier reste généralement au singulier.
   On écrira : *des sans-travail*, *des sous-main*, *des après-midi*.
   Mais, attention ! on écrit : *des sans-culottes*.

9. **Pipe-lines**
   Les combats ont mis hors d'usage plusieurs *pipe-lines*.
   Dans les noms communs anglais, le second

terme prend seul un S : des *pipe-lines*, *des cow-boys*, *des boy-scouts*.

10. Casse-tête (ou : casse-têtes)

J'espère que vous vous êtes bien tiré de ces *casse-tête*.

Le sens est parfois difficile à interpréter dans le cas du pluriel des noms composés et la forme est parfois arbitraire. Le dictionnaire vous éclairera, y compris sur les tolérances en la matière.

Ainsi, dans le cas de cette dernière question, vous avez loisir de mettre ou non un S à tête (mais seulement à cet élément !).

N'EN CROYEZ PAS VOS OREILLES

Vous savez que dans le cas de certaines homophonies ambiguës il faut appeler l'analyse à son secours (chapitre IV, test 22, ou chapitre VII, test 41). Ne manquez pas de le faire pour vous prononcer sur les dix alternatives que nous allons vous proposer.

"Quand" ou "quant" ?

1. ... à lui, il est assez savant.
2. ... à vous répondre, je ne le puis pas.

"Parce que" ou "par ce que" ?

3. ... j'ai appris l'orthographe, je me sens plus sûr en écrivant.
4. ... j'ai appris, je crois qu'il est malade.

"Quelques fois" ou "quelquefois" ?

5. Les ... où je l'ai aperçu, il m'a évité.

"C'était" ou "c'étaient" ?

6. C'... nous qui vous cherchions.
7. C'... huit heures précises, je me souviens.
8. C'... huit heures de travail perdues.
9. C'... mille francs à payer immédiatement.
10. C'... lui et ses amis qui m'avaient invité.

Vous retrouverez ces phrases dans la grille des réponses et vous mettrez la bonne forme à la place réservée entre crochets.

→ **Par exemple**, si l'on vous propose l'alternative entre *qui* et *qu'y* avec la phrase "[............] a-t-il de neuf?", vous mettrez à l'intérieur des crochets la réponse : *qu'y*.

▶ Vos réponses

		Notes sur 2
1	[...............] à lui, il est assez savant.	
2	[......................] à vous répondre, je ne le puis pas.	
3	[...............] j'ai appris l'orthographe, je me sens plus sûr en écrivant.	
4	[....................] j'ai appris, je crois qu'il est malade.	
5	Les [....................] où je l'ai aperçu, il m'a évité.	
6	C'[......................] nous qui vous cherchions.	
7	C'[.................] huit heures précises, je m'en souviens.	
8	C'[......................] huit heures de travail perdues.	
9	C'[......................] mille francs à payer immédiatement.	
10	C'[......................] lui et ses amis qui m'avaient invité.	
	Total sur 20	

→ Réponses p. 360

▶ Réponses en vue de l'évaluation

1. Quant
2. Quant
3. Parce que
4. Par ce que
5. Quelques fois
6. était
7. était
8. étaient (ou : était)
9. était
10. était

▶ Réponses commentées

1. Quant

Quant à lui, il est assez savant.

Vient du latin *quantum* (*combien*, *dans la mesure où*) d'où le T qui termine le mot. *Quant à* est une locution prépositive qui signifie : "pour ce qui est de, en ce qui concerne". Ne pas confondre avec l'adverbe de temps *quand* (*Quand* viendrez-vous ?) ou avec la conjonction de subordination *quand* (*Quand* il vient, mon chien aboie) ; ne confondez pas non plus avec le nom masculin pluriel employé par les physiciens : la théorie des *quanta* (attention, pas de S !) qui explique les phénomènes photo-électriques.

2. Quant

Quant à vous répondre, je ne le puis pas.

Remplacez "*quant* à vous répondre" par : "*pour ce qui est de* vous répondre", et vous ne confondrez pas avec la forme de l'adverbe ou de la conjonction.

3. Parce que

Parce que j'ai appris l'orthographe, je me sens plus sûr en écrivant.

L'analyse logique vous rappelle qu'il s'agit de la locution conjonctive introduisant la subordonnée complément de cause.

4. Par ce que

Par ce que j'ai appris, je crois qu'il est malade.

C'est encore l'analyse logique qui vous éclairera. Par ce que = par cela que. *Par* est une préposition introduisant le pronom *ce* (cela) antécédent du pronom relatif *que*, complément d'objet direct du verbe *j'ai appris*. Vous pourriez remplacer l'expression par : "*En raison de* ce que j'ai appris…" Les deux pronoms *ce* et *que* apparaissent nettement et vous ne pouvez plus faire la confusion.

5. Quelques fois

Les *quelques fois* où je l'ai aperçu, il m'a évité.

La présence de l'article devait vous éclairer sur la nature du mot *quelques*, adjectif indéfini qui se rapporte au nom *fois*. Il est des cas où la distinction entre les homonymes est moins claire : "Cela lui est déjà arrivé *quelques fois* (= un certain nombre de fois)." La confusion est excusable.

6. Était

C'*était* nous qui cherchions.

Règle : Devant un pronom de la 1re ou de la 2e personne du pluriel, on emploie toujours le singulier : "Les enfants, *c'est* vous que je cherche."

7. Était

C'*était* huit heures précises, je me souviens.

Règle : Devant l'expression de l'heure (moment de la journée), le singulier est obligatoire.

8. Étaient (ou était)

C'*étaient* huit heures de travail perdues.

Ici, il ne s'agit plus de l'expression de l'heure, mais de choses que l'on compte. Il est *préférable* alors d'écrire : "Ce *sont* huit heures perdues" ou : "Ce *sont* des heures perdues" ou : "Ce *sont* de bons élèves". Mais la langue parlée admet : "*C'est* de bons élèves" ou "*C'est* huit heures perdues".

9. Était

C'*était* mille francs à payer immédiatement.

Règle : Devant les mots désignant la monnaie, l'emploi du singulier est obligatoire : "C'*est* vingt francs qu'il m'en a coûté".

10. Était

C'*était* lui et ses amis qui m'avaient invité.

Règle : Devant plusieurs sujets, si le premier est au singulier, l'expression *c'est* (*c'était*) reste au singulier obligatoirement : "C'est toi et tes parents que je viens voir."

Mais nous dirons : "Ce *sont* ses amis et lui qui m'ont invité."

VITE FAIT

Vous êtes très informé, depuis le chapitre VII (test 42), sur les participes passés et sur leur accord. Mais il en est un particulièrement taquin, celui du verbe *faire*, capable, vous l'allez voir, de nous jouer des tours. Et pourtant, c'est un mot bien banal que le participe *fait* ! Raison de plus pour que ses malices cessent enfin de nous surprendre.

Dans les dix phrases suivantes, nous laissons en blanc la place du participe *fait*. À vous de la remplir, entre les crochets, sur la grille des réponses, dans la forme correcte.

▶ Vos réponses

		Notes sur 2
1	C'est un lit et une table de nuit [......................] de merisier.	
2	Voici les deux parties dont ces objets sont [......................].	
3	Que de belles aquarelles vous auriez [...............] si vous étiez venu séjourner chez moi dans le Midi !	
4	C'est une revendication qu'il a [......................] sienne.	
5	De la façon que vous avez [............] votre travail, vous ne pouviez pas avoir une bonne note.	
6	Lorsque s'est [...................] voir sa traîtrise, il a perdu pied.	
7	Si j'avais eu mon appareil au moment de l'arrivée, les belles photos que cela aurait [...................] !	
8	La belle nuit qu'il a [......................] m'a permis d'étudier les étoiles.	
9	Ma chienne s'est [......................] agressive.	
10	Nous nous sommes [......................] une joie de vous recevoir.	
	Total sur 20	

→ Réponses p. 366

Aphorismes

Savez-vous ce qu'est un aphorisme ? C'est une brève maxime.

Voici quelques aphorismes pour vous encourager dans vos efforts ; vous les répandrez autour de vous en faveur de l'orthographe.

- Aimer sa langue, c'est la pratiquer sans faire de faute.
- Apprenez votre langue en vous distrayant.
- On n'a jamais fini de découvrir la langue française et, à chaque pas, on s'en émerveille davantage.
- L'orthographe n'est pas un luxe, mais peut être un plaisir.
- Avant de réformer l'orthographe, apprenons à ne pas la déformer.

▶ Réponses en vue de l'évaluation

1. faits
2. faits
3. faites
4. faite
5. fait
6. fait
7. fait
8. fait
9. faite
10. fait

▶ Réponses commentées

1. Faits

C'est un lit et une table de nuit *faits* de merisier.

Emploi connu du participe sans auxiliaire, à valeur d'adjectif. Il faut seulement ne pas oublier de faire l'accord au pluriel, puisque *faits* se rapporte à deux noms au singulier.

2. Faits

Voici les deux parties dont ces objets sont *faits*.

Emploi connu du participe avec être. Accord avec le sujet. Il faut bien voir que le sujet est le nom *objets*.

3. Faites

Que de belles aquarelles vous auriez *faites* si vous *étiez* venu séjourner chez moi dans le Midi !

Accord régulier du participe passé employé avec l'auxiliaire *avoir* quand le complément d'objet direct (*aquarelles*) est placé avant.

4. Faite

C'est une revendication qu'il a *faite* sienne.

Même cas. Mais le complément d'objet direct est le pronom relatif *qu'* qui a pour antécédent *revendication* (féminin singulier). Vous noterez l'adjectif possessif *sienne* employé ici comme attribut du complément d'objet direct (*qu'*) et qui s'accorde avec lui.

5. Fait

De la façon que vous avez *fait* votre travail, vous ne pouviez pas avoir une bonne note.

Ici, il ne peut pas y avoir accord parce que *de la façon* n'est pas une construction directe (en conséquence, *que* n'est pas un complément direct : "Vous avez fait votre travail *d'*une certaine façon").

6. Fait

Lorsque s'est *fait* voir sa traîtrise, il a perdu pied.

Règle : Le participe *fait* suivi d'un infinitif est considéré comme un auxiliaire et reste toujours invariable : *Les bateaux qu'ils se sont fait construire.*

7. Fait

Si j'avais eu mon appareil au moment de l'arrivée, les belles photos que cela aurait *fait*!

Ici, il n'y a pas de complément d'objet direct. En effet, la phrase ne signifie pas que le sujet *cela* aurait réalisé de belles photos.

Le sens est : Grâce aux circonstances évoquées, il aurait pu être obtenu de belles photos.

C'est une tournure *impersonnelle*.

8. Fait

La belle nuit qu'il a *fait* m'a permis d'étudier les étoiles.

C'est ici encore une tournure impersonnelle.

De même : les chaleurs qu'il a *fait*, la tempête qu'il a *fait*, etc.

9. Faite

Le participe passé des verbes pronominaux réfléchis s'accorde avec le pronom réfléchi quand celui-ci est complément d'objet direct.

10. Fait

Nous nous sommes *fait* une joie de vous recevoir.

Dans ce cas, attention, le pronom réfléchi *nous* est un complément indirect : "Nous avons fait une joie *à nous-mêmes.*" En revanche, n'oubliez pas l'accord avec le complément d'objet direct s'il vient à être placé avant : "Vous n'imaginez pas la joie que nous nous sommes *faite* de vous recevoir" (*faite* parce que le pronom relatif *que*, complément d'objet direct placé avant, est mis pour *joie*, féminin).

ÉVALUATION RÉCAPITULATIVE DU CHAPITRE IX

Numéro du test		Note sur 20
49	FAITES LE BON CHOIX	
50	C, Q	
51	ILS NE SONT PAS D'ICI	
52	ILS S'ASSEMBLENT POUR NOUS TROMPER	
53	N'EN CROYEZ PAS VOS OREILLES	
54	VITE FAIT	

Total sur 120

Note sur 20 (total divisé par 6)

X

Le coin des enfants

Après le chapitre IX consacré aux révisions et à l'approfondissement, ce ne sera plus qu'un jeu de répondre aux tests du présent chapitre. Il est destiné aux plus jeunes et tout amateur d'orthographe peut y briller sans peine dès l'âge de dix ans. Voilà de quoi faire monter la moyenne de tous.

JOUONS AVEC LES MOTS

Le premier jeu est une poésie dont toutes les rimes sont en OU. Mais l'auteur, brouillé avec l'orthographe, n'a pas su choisir les lettres qui traduisent le son OU. Il est vrai qu'elles peuvent être très différentes : dans *joue*, nous trouvons O, U, E ; dans *houx*, nous trouvons O, U, X, etc. Le jeu consiste donc à finir les mots que l'auteur n'a pas osé écrire jusqu'au bout : il manque chaque fois deux, trois ou quatre lettres formant le son OU. Vous mettrez votre réponse à l'intérieur des crochets dans la grille des réponses.

Par exemple : *L'auteur vous prie à deux gen*[............].

Dans les crochets, vous écrivez : OUX.

▶ Vos réponses

		Notes sur 2
1	C'est un conte d'un peu part[..................]	
2	Une histoire à dormir deb[....................]	
3	Que racontèrent les hib[.................]	
4	À leurs amis les marab[.................]	
5	Ils partaient pour leur pays [.................]	
6	Pour un autre, je ne sais [.................]	
7	Si mes propos sont un peu fl[.................]	
8	C'est qu'en passant entre les cl[.............]	
9	J'en ai perdu à peu près t[.................]	
10	Les détails sans aller au b[.................]	
	Total sur 20	

→ Réponses p. 374

▶ Réponses en vue de l'évaluation

1. partout
2. debout
3. hiboux
4. marabouts
5. ou
6. où
7. flous
8. clous
9. tous
10. bout

Voici la poésie reconstituée :

C'est un conte d'un peu partout
Une histoire à dormir debout
Que racontèrent les hiboux
À leurs amis les marabouts
Ils partaient pour leur pays ou
Pour un autre je ne sais où
Si mes propos sont un peu flous
C'est qu'en passant entre les clous
J'en ai perdu à peu près tous
Les détails sans aller au bout.

▶ Réponses commentées

1. Partout

Adverbe de lieu constitué avec le pronom indéfini *tout* (féminin *toute*). C'est pourquoi le mot s'achève par un T.

2. Debout

Se dit de ce qui se tient sur un *bout*.

Bout vient de *bouter* (porter un coup ; d'où

chasser : Jeanne d'Arc voulait "*bouter* les Anglais hors de France").

Le verbe *bouter* a donc donné un déverbal, *bout*, qui a d'abord signifié : *coup*, puis *extrémité* (avec laquelle on porte un coup).

3. Hiboux
Vous connaissez la règle des sept noms en *-ou* qui forment leur pluriel en *-oux* : *bijou*, *caillou*, *chou*, *genou*, *hibou*, *joujou*, *pou*.

4. Marabouts
Pluriel de *marabout*, oiseau d'Afrique et d'Inde.

Ce mot exotique n'était pas difficile à trouver : c'est le nom de la maison qui édite ce livre. Mais n'oubliez pas le S du pluriel !

5. Ou
Malgré l'enjambement, c'est-à-dire la continuation de la phrase d'un vers sur l'autre, vous avez compris certainement que la conjonction *ou* liait les deux expressions : *pour leurs pays*, *pour un autre*.

6. Où
Vous ne confondez pas l'adverbe de lieu *où*, qui prend l'accent, avec la conjonction (ci-dessus, n° 5) qui ne porte pas d'accent.

7. Flous
Voici un adjectif en *-ou* ; il fait son masculin pluriel en *-ous* (des manteaux *flous*), son féminin singulier en *-oue* (une robe *floue*) et son féminin pluriel en *-oues* (des robes *floues*). En somme, un mot tout à fait régulier.

8. Clous

Puisque ce n'est pas un des sept fameux noms en *-ou*/*-oux*, il prend S au pluriel.

9. Tous

Vous savez que le pronom indéfini *tout* a un féminin *toute* ; il a aussi un masculin pluriel, *tous*, et un féminin pluriel, *toutes* : *Toutes sont venues me voir à l'hôpital*.

10. Bout

Nous avons expliqué d'où venait ce petit mot à l'histoire très intéressante. Et, bien entendu, comme c'est un nom, il prendra S au pluriel : brûler la chandelle par les deux *bouts*.

JOUONS AVEC LE FÉMININ

Nous avons rappelé à l'occasion du test précédent qu'un adjectif comme *flou* donne *floue* au féminin : il suffit d'ajouter un E. Nous savons que d'autres féminins, notamment dans les noms, sont un peu plus compliqués : la femelle du *canard* est la *cane*, par exemple.

Vous allez parcourir quelques formations variées, mais faciles. Ce doit être un "sans-faute". Il suffira d'écrire dans la grille des réponses (colonne de droite) les féminins correspondant aux masculins (noms ou adjectifs) de la colonne de gauche.

	Masculin	Féminin	Notes sur 2
1	un chat	une	
2	un loup	une	
3	un pauvre	une	
4	un voleur	une	
5	un serviteur	une	
6	principal		
7	cruel		
8	franc		
9	familier		
10	neuf		
		Total sur 20	

→ Réponses p. 378

▶ Réponses en vue de l'évaluation

1. chatte
2. louve
3. pauvresse
4. voleuse
5. servante
6. principale
7. cruelle
8. franche
9. familière
10. neuve

▶ Réponses commentées

1. Chatte
À l'occasion du test 5, nº 3, nous vous avons présenté des noms qui doublent la consonne finale avant le E du féminin. Vous pouvez vous y reporter.

2. Louve
Dans la même série, sous le numéro 5, nous vous signalions encore les noms qui forment leur féminin en changeant la consonne précédant le E de ce féminin : *loup*, *louve*. Le P se change en V.

3. Pauvresse
Toujours dans la même série du test 5, sous le nº 8, nous vous rappelions enfin que des mots, comme le mot *pauvre*, sont employés tantôt comme noms, tantôt comme adjectifs et que, dans certains cas, ils ne forment pas leur féminin de la même manière. Ainsi, en employant *pauvre* comme adjectif, on écrira : un *pauvre* homme, une *pauvre* femme ; mais, en employant *pauvre* comme nom, on écrira : un *pauvre*, une *pauvresse*.

4. Voleuse
Ce genre de féminin vous a été présenté à propos du test 25, nº 3. Notez qu'ici l'adjectif et le nom (un chien *voleur* ; un *voleur* agile) forment leur

féminin de la même façon (la pie *voleuse*, la petite *voleuse*).

5. Servante

Attention, dans ce même test 25, nº 4, on vous a averti de certains féminins irréguliers. C'est ainsi que le féminin de *serviteur* est *servante*. Serveuse est réservé pour désigner le féminin de… garçon de café !

6. Principale

Dans le test 27, nº 9, nous vous avons rappelé que des adjectifs en *-al* faisaient leur féminin en *-ale* : ég*al*, ég*ale*, *principal*, *principale*, etc. Ne les confondez pas avec les adjectifs qui ont la même forme *-ale* au masculin et au féminin comme *pâle* (un visage *pâle*, une figure *pâle*) ou *ovale* (une piste *ovale*, un plateau *ovale*).

7. Cruelle

Le test 28 (nº 1) vous a présenté les adjectifs en *-as*, *-eil*, *-el*, *-en*, *-on*, qui doublent la consonne finale et prennent E au féminin : *cruel*, *cruelle*.

8. Franche

Le même test 28 (nº 2) vous donnait la série des adjectifs comme *blanc* (*blanche*), *franc* (*franche*).

9. Familière

Vous trouvez encore, à propos de ce test (nº 5), les adjectifs en *-er*, *-ier*, qui, au féminin, prennent un accent grave et ajoutent un E : *familier*, *familière*.

10. Neuve

Enfin, toujours dans ce test, au nº 6, vous retrouverez l'exemple des adjectifs en *-if* et *-euf* comme *actif* (*active*), *neuf* (*neuve*), etc.

JOUONS À FABRIQUER DES ADVERBES

Vous savez que les adverbes de manière se forment généralement en partant des adjectifs. Nous vous proposons ci-après une liste de dix adjectifs à partir de laquelle vous vous amuserez à fabriquer des adverbes.

→ **Par exemple** : *joli → joliment*

Voici la liste :

1. dur
2. fier
3. mou
4. sûr
5. faible
6. énorme
7. vrai
8. poli
9. abondant
10. décent

▶ Vos réponses

	Adjectif	Adverbe	Notes sur 2
1	dur		
2	fier		
3	mou		
4	sûr		
5	faible		
6	énorme		
7	vrai		
8	poli		
9	abondant		
10	décent		
		Total sur 20	

→ Réponses p. 382

▶ Réponses en vue de l'évaluation

1. durement
2. fièrement
3. mollement
4. sûrement
5. faiblement
6. énormément
7. vraiment
8. poliment
9. abondamment
10. décemment

▶ Réponses commentées

1. Durement

L'adjectif *dur* fait au féminin *dure* et on ajoute la terminaison *-ment* de l'adverbe à cette forme du féminin : *durement*. C'est la règle générale.

2. Fièrement

La règle générale est toujours appliquée. Il suffit de se souvenir que le féminin de l'adjectif *fier* : *fière* comporte un accent grave.

Bien entendu, sur l'adverbe, cet accent ne doit pas être oublié. Dans le cas contraire, votre réponse serait nulle.

3. Mollement

La règle est toujours appliquée. Il faut savoir que le féminin de l'adjectif est *molle* : deux L.

4. **Sûrement**
C'est encore une application de la règle. Mais, ici, c'est l'accent circonflexe qu'il ne faut pas oublier d'utiliser dans l'adverbe comme il est conservé au féminin.

5. **Faiblement**
Voici le cas où le masculin et le féminin de l'adjectif sont semblables : *un homme faible*, *une femme faible*. Naturellement, il suffit d'ajouter la terminaison *-ment* à cette forme commune.

6. **Énormément**
Cet adverbe est un peu particulier. Nous l'avons signalé dans le test 24, n° 2, avec quelques autres de son espèce. Il est formé en partant de l'adjectif *énorme* (semblable au masculin et au féminin) mais, en plus de la terminaison *-ment*, il change le E final en É grâce à un accent aigu qu'il ne faut pas oublier. Voyez, de même, l'exemple cité au test 24, n° 2 : *aveugle*, *aveuglément*.

7. **Vraiment**
Bien que le féminin de *vrai* soit l'adjectif *vraie*, le E disparaît dans la formation de l'adverbe, contrairement à la règle appliquée dans les cas précédents.

8. **Poliment**
Là aussi (cas des adverbes en *-iment*) le E a disparu. L'exemple (vous l'avez sans doute remarqué) vous a été donné avec l'adjectif joli et l'adverbe *joliment* (voir l'introduction de ce test 57).

9. **Abondamment**
La formation vous a été donnée à propos du test 24, n° 3.

10. Décemment

La formation de cet adverbe vous a été également donnée au test 24, nº 3. Retenez que les terminaisons de ces deux adverbes *abondamment* et *décemment* se prononcent de la même manière, mais n'ont pas la même orthographe : ils s'écrivent *différemment*.

Plaisanterie... énorme

Pour que votre mémoire retienne le changement du E final en É (accent aigu) avant la finale *-ment* de l'adverbe *énormément* (et de quelques autres de son espèce : *communément*, *confusément*, *expressément*, etc.), nous vous citerons cette homophonie bien connue :

Cet homme est ténor mais m'embête

Cet homme est énorme et m'embête

Cet homme est énormément bête.

JOUONS AVEC LES FORMES VERBALES

Nous vous proposons un texte où nous avons laissé vingt verbes à l'infinitif, en vous indiquant entre parenthèses le mode et le temps auxquels il faut mettre chacun d'eux : à vous d'écrire, dans la grille des réponses, le verbe sous sa forme correcte (nous vous rappellerons, dans cette grille, le numéro du verbe et son infinitif).

Une trouvaille

Maître Hauchecorne, de Bréauté, (0. *venir*, indicatif imparfait) d'arriver à Goderville, et il (1. se *diriger*, indicatif imparfait) vers la place, quand il (2. *apercevoir*, indicatif passé simple) par terre un petit bout de ficelle. Maître Hauchecorne, économe en vrai Normand, (3. *penser* indicatif passé simple) que tout (4. *être*, indicatif imparfait) bon à ramasser qui (5. *pouvoir*, indicatif présent) servir ; et il (6. *se baisser*, indicatif passé simple) péniblement, car il (7. *souffrir*, indicatif imparfait) de rhumatismes. Il (8. *prendre*, indicatif passé simple), par terre, le morceau de corde mince, et il (9. *se disposer*, indicatif imparfait) à le rouler avec soin, quand il (10. *remarquer*, indicatif passé simple), sur le seuil de sa porte, maître Malandain, le bourrelier, qui le (11. *regarder*, indicatif imparfait). Ils (12. *avoir*, indicatif plus-que-parfait) des affaires ensemble au sujet d'un licol, autrefois, et ils (13. *rester*, indicatif plus-que-parfait) fâchés, étant rancuniers tous deux. Maître Hauchecorne (14. *prendre*, indicatif passé simple passif) d'une sorte de honte d'(15. *voir*, infinitif présent passif) ainsi, par son ennemi, (16. *chercher*, participe présent) dans la crotte un bout de ficelle. Il (17. *cacher*, indicatif passé simple) brusquement sa trouvaille sous sa blouse, puis dans la poche de sa culotte ; puis il (18. *faire*, indicatif passé simple) semblant de chercher encore par terre quelque chose qu'il ne (19. *trouver*, indicatif imparfait) point, et il (20. *s'en aller*, indicatif passé simple) vers le marché, la tête en avant, courbé en deux par ses douleurs.

→ Exemple :

— Phrase nº 1 : *Maître Hauchecorne, de Bréauté,* (0. *venir*, indicatif imparfait) ; vous trouvez dans la grille au numéro 0 le verbe *venir* ; vous verrez à sa hauteur dans la colonne de droite la forme exigée par le mode, le temps (sans oublier l'accord avec le sujet !) : *venait.*

▶ Vos réponses

	Infinitif	Forme correcte	1 point par réponse
0	venir	venait	
1	se diriger		
2	apercevoir		
3	penser		
4	être		
5	pouvoir		
6	se baisser		
7	souffrir		
8	prendre		
9	se disposer		
10	remarquer		
11	regarder		
12	avoir		
13	rester		
14	prendre		
15	voir		
16	chercher		
17	cacher		
18	faire		
19	trouver		
20	s'en aller		
		Total sur 20	

→ Réponses p. 388

▶ Réponses en vue de l'évaluation

1. se dirigeait
2. aperçut
3. pensa
4. était
5. peut
6. se baissa
7. souffrait
8. prit
9. se disposait
10. remarqua
11. regardait
12. avaient eu
13. étaient restés
14. fut pris
15. être vu
16. cherchant
17. cacha
18. fit
19. trouvait
20. s'en alla

Voici le texte rétabli :

Une trouvaille

Maître Hauchecorne, de Bréauté, venait d'arriver à Goderville, et il se dirigeait[1] vers la place, quand il aperçut[2] par terre un petit bout de ficelle. Maître Hauchecorne, économe en vrai Normand, pensa[3] que tout était[4] bon à ramasser qui peut[5] servir ; et il se baissa[6] péniblement, car il souffrait[7] de rhumatismes. Il prit[8], par terre, le morceau de corde mince, et il se disposait[9] à le rouler avec soin, quand il remarqua[10], sur le seuil de sa porte, maître Malandain, le bourrelier, qui le regardait[11]. Ils avaient eu[12] des affaires ensemble au sujet d'un licol, autrefois, et ils étaient restés[13] fâchés, étant rancuniers tous deux. Maître Hauchecorne fut pris[14] d'une sorte de honte d'être vu[15] ainsi, par son ennemi, cherchant[16] dans la crotte un bout de ficelle. Il cacha[17] brusquement sa trouvaille sous sa blouse, puis dans la poche de sa culotte; puis il fit[18] semblant de chercher encore par terre quelque chose qu'il ne trouvait[19] point, et il s'en alla[20] vers le marché, la tête en avant, courbé en deux par ses douleurs.

Guy de Maupassant

▶ Réponses commentées

1. **Se dirigeait**
   N'oubliez pas la présence du E (voir l'encadré qui accompagne le test 23).

2. **Aperçut**
   N'oubliez pas la cédille.

3. **Pensa**
   Passé simple sans difficulté d'un verbe du 1er groupe.

4. **Était**
   Cet imparfait ne présente lui non plus aucune difficulté.

5. **Peut**
   Il fallait faire bien attention à l'instruction donnée entre parenthèses. Il s'agit d'un présent, exigé par le sens.

6. **Se baissa**
   Passé simple facile. Notez la forme pronominale.

7. Souffrait
Souffrir est un verbe du 3e groupe. Appartiennent à ce groupe, très composite, tous les verbes qui ne sont ni du 1er groupe (les verbes en *-er* comme *se baisser*) ni du 2e groupe (les verbes en *-ir* qui font, comme *finir*, l'imparfait en *-issait* : *il finissait*).

8. Prit
Passé simple d'un verbe du 3e groupe.

9. Se disposait
Imparfait comparable à *se dirigeait* (n° 1).

10. Remarqua
Passé simple d'un verbe du 1er groupe. Aucune difficulté. Ne pas oublier le QU du radical.

11. Regardait
Imparfait d'un verbe du 1er groupe. Aucune difficulté.

12. Avaient eu
Attention aux formes du plus-que-parfait et, dans ce temps composé, à l'accord du participe. Ici, le complément d'objet direct *des affaires* est placé après le verbe. Le participe reste invariable.

13. Étaient restés
Un plus-que-parfait encore. Mais l'auxiliaire est cette fois l'auxiliaire *être* : l'accord du participe se fait donc avec le sujet. Si vous avez commis une faute dans cet accord, la réponse est nulle.

14. Fut pris
Il fallait faire attention à l'indication donnée : emploi du **passif**. Ce passé dit "passé simple" est en réalité composé de l'auxiliaire être et du participe passé. On l'appelle plus justement, quelquefois, "passé défini". N'oubliez pas que, dans le

cas où l'auxiliaire est le verbe *être*, il faut faire l'accord avec le sujet. Nous écririons donc, au féminin : *elle fut prise*.

15. Être vu
Même remarque à propos du passif. N'oubliez pas ces formes de l'infinitif passif. Ici encore, l'accord se fait avec le sujet. Nous dirions : "La femme fut prise d'une sorte de honte d'*être vue*".

16. Cherchant
Le participe présent ne s'accorde que s'il est employé comme adjectif. Toujours en mettant notre phrase au féminin, nous écririons : *La femme fut prise d'une sorte de honte d'être vue cherchant dans la crotte un bout de ficelle*.

17. Cacha
Passé simple d'un verbe du 1er groupe. Aucune difficulté.

18. Fit
Passé simple du verbe faire : je fis, tu fis, il fit, nous fîmes, vous fîtes, ils firent.
Attention à la conjugaison de ce **verbe très irrégulier** :

je fais, nous faisons (présent de l'indicatif)
je faisais (imparfait de l'indicatif)
je ferai (futur)
je fis, etc.

19. Trouvait
Cet imparfait ne présente pas de difficulté.

20. S'en alla
Passé simple d'un verbe très irrégulier :
je vais, nous allons ; j'allais ; j'irai, etc.

JOUONS AVEC LES ACCORDS

Pour vous réconcilier avec les règles, nous vous proposons quelques accords faciles.

Dans les phrases qui suivent, nous vous indiquons deux solutions entre parenthèses. À vous de choisir la bonne, que vous écrirez dans la grille des réponses à la hauteur du numéro correspondant à la phrase.

1. Retenez ce qu'(on dit - ont dit) les témoins.
2. Ne croyez pas tout ce qu'(on dit - ont dit).
3. Il faut que je vous (vois - voie) demain.
4. Je sais que je vous (vois - voie) demain.
5. C'est une règle entre toutes (importante - importantes).
6. Pour aller à la campagne, vous vous munirez d'une veste et d'un pantalon (solide - solides).
7. Les quatre (jeudi - jeudis).
8. Il était suivi de (vingt - vingts) hommes.
9. Les quatre (cent - cents) coups.
10. Trois (million - millions).

▶ Vos réponses

		Notes sur 2
1		
2		
3		
4		
5		
6		
7		
8		
9		
10		
	Total sur 20	

→ Réponses p. 394

▶ Réponses en vue de l'évaluation

1. ont dit
2. on dit
3. voie
4. vois
5. importante
6. solides
7. jeudis
8. vingt
9. cents
10. millions

▶ Réponses commentées

1. Ont dit

Retenez ce qu'*ont dit* les témoins.

Nous avons souvent signalé l'importance de l'analyse logique. Elle vous révèle ici que nous avons affaire à la 3e p. du pluriel du passé composé du verbe *dire*. Bien qu'il soit inversé, vous deviez trouver le sujet : *les témoins*.

2. On dit

Ne croyez pas tout ce qu'*on dit.*

Vous ne pouviez pas manquer de reconnaître le pronom indéfini *on* et le verbe *dire* à la 3e p. du singulier du présent. En effet une proposition se compose au minimum d'un sujet et d'un verbe et vous n'aviez ici que deux mots.

L'application correcte des règles d'accord suppose en effet l'identification parfaite des mots employés.

3. Voie

Il faut que je vous *voie* demain.

Voie est présent du subjonctif, commandé par le verbe principal : il faut ; *voie* est ainsi au centre d'une proposition marquant l'expression de la volonté ; or ce genre de proposition, qui traduit un fait de pensée, se met au subjonctif.

Encore faut-il bien connaître les formes verbales à employer.

4. Vois

Je sais que je vous *vois* demain.

Le verbe est maintenant au présent de l'indicatif car la proposition exprime un fait considéré comme certain. La première personne du présent de l'indicatif d'un verbe prend un E ou un S (je *vois*, je *sais*, je *sens*, je *prends*, je *finis*, etc.) ou un X (je *veux*, je *peux*).

5. Importante

C'est une règle entre toutes *importante*.

L'adjectif s'accorde avec le mot (le plus souvent un nom) auquel il se rapporte, même s'il en est éloigné. Dans cette phrase, il faut comprendre qu'il s'agit *d'une règle "importante entre toutes"*.

Sinon, on aurait écrit, par exemple : "C'est une règle essentielle entre toutes les règles *importantes.*" En effet, l'article indéfini *une* exigeait la présence d'une détermination (une règle : quelle règle ? quel genre de règle ?) ; la détermination est apportée par l'adjectif *importante*, lui-même complété par l'expression *entre toutes*. Donc *importante* doit se rapporter à *règle*. L'orthographe des accords est une question de réflexion et de logique, on ne le redira jamais assez. C'est par là même un exercice de pensée.

6. Solides

Pour aller à la campagne, vous vous munirez d'une veste et d'un pantalon *solides.*

Règle bien connue : l'adjectif qui se rapporte à deux ou plusieurs noms se met au pluriel (et le masculin l'emporte sur le féminin ; cela n'apparaît pas ici, car l'adjectif a la même forme pour les deux genres).

7. Jeudis

Les quatre *jeudis.*

Le nom de jour peut se multiplier s'il a vraiment le sens du pluriel (vous avez appris à distinguer : *tous les jeudis* et les *jeudi et samedi de chaque semaine*).

8. Vingt

Il était suivi de *vingt* hommes.

Vingt ne prend un S que si on le multiplie et s'il n'est pas suivi d'un autre nom de nombre : *quatre-vingts*, *quatre-vingt-un*. Vous le savez depuis le test n° 31.

9. Cents

Les quatre *cents* coups.

Cent prend la marque du pluriel dans les mêmes conditions que *vingt*, ce que vous savez aussi.

10. Millions

Trois *millions.*

Million (comme milliard) est un nom qui prend la marque du pluriel dans tous les cas où il est multiplié.

JOUONS AVEC LES PARTICIPES

Le dernier jeu sera un peu plus difficile, avec les participes. Mais vous n'avez plus peur de rien.

Nous allons donc revoir les différents types d'accord et nous les résumerons pour finir dans une phrase où ils seront appliqués (voir encadré).

Le test consiste bien entendu à écrire sous la forme convenable les participes mis entre parenthèses dans chacune des phrases que nous vous proposons ci-après.

→ **Par exemple**, si nous vous donnons cette phrase : *Ma sœur est (allé) chez le fourreur*, vous écrirez, dans la grille des réponses, entre les crochets : *allée*.

1. Vous m'apportez là des fleurs (fané).
2. Sa mère est (venu) le voir.
3. Vous n'imaginez pas toute l'eau qu'il a (plu) depuis une semaine.
4. Vous savez la chaleur qu'il a (fait) cet été.
5. La voiture a (fait) une embardée.
6. Le passager fut éjecté dans l'embardée que la voiture a (fait).
7. Les deux jeunes filles se sont (rencontré) hier seulement.
8. Elles se sont (plu).
9. Les blés se sont mal (vendu) cette année.
10. Les mérites que cette vaniteuse s'est (attribué) ne valent rien.

▶ Vos réponses

		Notes sur 2
1	Vous m'apportez là des fleurs [......................].	
2	Sa mère est [......................] le voir.	
3	Vous n'imaginez pas toute l'eau qu'il a [......................] depuis une semaine.	
4	Vous savez la chaleur qu'il a [......................] cet été.	
5	La voiture a [......................] une embardée.	
6	Le passager fut éjecté dans l'embardée que la voiture a [......................].	
7	Les deux jeunes filles se sont [......................] hier seulement.	
8	Elles se sont [......................].	
9	Les blés se sont mal [......................] cette année.	
10	Les mérites que cette vaniteuse s'est [......................] ne valent rien.	
	Total sur 20	

→ Réponses p. 400

Voici une belle moisson de participes, récoltée dans un texte de Voltaire. Vous pouvez vous le faire dicter.

Pierre le Grand

Pierre le Grand fut **regretté** en Russie de tous ceux qu'il avait **formés**, et la génération qui suivit celle des partisans des anciennes mœurs le regarda bientôt comme son père. Quand les étrangers ont **vu** que tous ses établissements étaient durables, ils ont **eu** pour lui une admiration constante, et ils ont **avoué** qu'il avait été **inspiré** plutôt par une sagesse extraordinaire, que par l'envie de faire des choses étonnantes. L'Europe a **reconnu** qu'il avait **aimé** la gloire, mais qu'il l'avait **mise** à faire du bien, que ses défauts n'avaient jamais **affaibli** ses grandes qualités, qu'en lui, l'homme eut ses taches et que le monarque fut toujours grand. Il a **forcé** la nature en tout, dans ses sujets, dans lui-même, mais il l'a **forcée** pour l'embellir. Les arts qu'il a **transportés** de ses mains dans des pays dont plusieurs étaient sauvages ont, en fructifiant, **rendu** hommage à son génie et **éternisé** sa mémoire ; ils paraissent aujourd'hui originaires des pays mêmes où il les a **portés**. Lois, police, politique, discipline militaire, marine, commerce, manufactures, sciences, beaux-arts, tout s'est **perfectionné** selon ses vues, et, par une singularité dont il n'est point d'exemple, ce sont quatre femmes, **montées** après lui sur le trône, qui ont **maintenu** tout ce qu'il acheva et ont **perfectionné** tout ce qu'il entreprit.

Voltaire

▶ Réponses en vue de l'évaluation

1. fanées
2. venue
3. plu
4. fait
5. fait
6. faite
7. rencontrées
8. plu
9. vendus
10. attribués

▶ Réponses commentées

1. Fanées

Vous m'apportez là des fleurs *fanées*.

Le participe sans auxiliaire s'accorde avec le nom auquel il se rapporte. C'est en fait un adjectif.

2. Venue

Sa mère est *venue* le voir.

Le participe employé avec l'auxiliaire *être* sous une forme non pronominale s'accorde avec le sujet.

3. Plu

Vous n'imaginez pas toute l'eau qu'il a *plu* depuis une semaine.

Le participe passé d'un verbe impersonnel reste invariable.

4. Fait

Vous savez la chaleur qu'il a *fait*.

Ici, le verbe *faire* est dans un emploi impersonnel.

Nous avons passé en revue avec le test 54 les différents cas d'emploi du participe *fait*.

5. **Fait**

La voiture a *fait* une embardée.

L'auxiliaire est le verbe *avoir* et le participe s'accorde avec le complément d'objet direct s'il est placé avant lui. Mais ici ce C.O.D. (*embardée*) est placé après : le participe reste donc invariable.

6. **Faite**

Le passager fut éjecté dans l'embardée que la voiture a *faite*.

Même règle que ci-dessus (n° 5) mais le C.O.D. (pronom relatif *que* mis pour l'antécédent *embardée*) est placé avant. D'où l'accord.

7. **Rencontrées**

Les deux jeunes filles se sont *rencontrées* hier seulement.

Le participe passé d'un verbe pronominal (auxiliaire *être*, dans ce cas) s'accorde avec le sujet (en fait, avec le pronom réfléchi C.O.D. qui représente la même personne que le sujet et qui indique ici la réciprocité). Il en est de même quand le pronom marque simplement que le sujet fait l'action sur lui-même : Elle s'est *lavée*. Mais attention au cas où le pronom réfléchi n'est pas le C.O.D. : "Elle s'est *lavé* les mains." Nous allons revoir ce cas bientôt.

8. **Plu**

Elles se sont plu.

L'accord ne se fait pas avec le sujet des verbes réfléchis comme *se rire* (Elles se sont *ri* de moi), *se plaire*, *se complaire* (Elles se sont *complu* à traîner sur le bal), *se rappeler* (Elles se sont *rappelé* les beaux jours), *s'arroger* (Elles se sont *arrogé* le droit de ne pas venir). Vous observerez que dans ces cas le pronom réfléchi n'est pas complément direct : ou bien il n'y a pas de C.O.D. ou bien ce C.O.D. est un autre mot que le pronom réfléchi.

9. Vendus

Les blés se sont mal *vendus* cette année.

Dans un tour pronominal à valeur passive (la phrase revient à dire : Les blés ont été mal *vendus*), le participe s'accorde avec le sujet.

10. Attribués

Les mérites que cette vaniteuse s'est *attribués* ne valent rien.

Ici, comme dans le cas de la phrase citée dans le commentaire du n° 7 (Elle s'est lavé les mains), le pronom réfléchi n'est pas complément d'objet direct. Le participe passé ne peut donc pas s'accorder avec ce pronom. Mais il y a un C.O.D. Celui-ci est le pronom relatif *que*, mis pour l'antécédent les *mérites* (masculin pluriel). Or ce pronom C.O.D. est placé avant le verbe. L'accord se fait donc avec lui : *attribués*.

L'accord des participes en une phrase

Quand ma sœur est *allée* chez le fourreur, la vendeuse s'est *étonnée* car les essayages se sont *succédé* sans qu'elle ait *trouvé* la cape qui lui aurait *plu* et que je lui aurais sûrement *payée* et *fait* livrer le jour même.

ÉVALUATION RÉCAPITULATIVE DU CHAPITRE X

Numéro du test		Note sur 20
55	JOUONS AVEC LES MOTS	
56	JOUONS AVEC LE FÉMININ	
57	JOUONS À FABRIQUER DES ADVERBES	
58	JOUONS AVEC LES FORMES VERBALES	
59	JOUONS AVEC LES ACCORDS	
60	JOUONS AVEC LES PARTICIPES	

Total sur 120 [ ]

Note sur 20 (total divisé par 6) [ ]

XI

Sur le ring

Voici maintenant le coin des champions, le ring où les meilleurs vont mesurer leur force. Nous leur proposerons à cette occasion quelques ouvrages qui leur permettront d'approfondir encore leur compétence en faisant un beau voyage au pays de l'orthographe.

CURIOSITÉS

Vous écrirez dans la grille à la place correspondant au numéro la réponse à chacune des questions suivantes :

1. Quel est le masculin singulier de *ventrus* ?
2. Quel est le masculin singulier de *perclus* ?
3. Quel est le masculin singulier de *indus* ?
4. *Rendre compte*, c'est rédiger un…
   (trouver un nom tiré de cette expression)
5. Une fabrique de *soie* se nomme une…
   (mot de la même famille)
6. L'administration chargée de la gestion et de l'entretien des *voies* de communication se nomme la… (mot de la même famille)
7. Accentuez (s'il y a lieu) le mot : *bareme.*
8. Accentuez (s'il y a lieu) le mot : *choucroute.*
9. Accentuez (s'il y a lieu) le mot : *arome.*
10. Accentuez (s'il y a lieu) le mot : *cote* (la *cote* d'alerte).

▶ Vos réponses

		Notes sur 2
1		
2		
3		
4		
5		
6		
7		
8		
9		
10		
	Total sur 20	

→ Réponses p. 408

▶ Réponses en vue de l'évaluation

1. ventru
2. perclus
3. indu
4. compte rendu
5. soierie
6. voirie
7. barème
8. choucroute
9. arôme
10. cote

▶ Réponses commentées

1. Ventru

Féminin *ventrue*. C'est la forme normale des adjectifs en U.

2. Perclus

Féminin *percluse* (une femme *percluse* de rhumatismes).

Vient du participe latin *perclusus* = obstrué, bloqué.

Les principaux adjectifs qui font exception à la règle ci-dessus (n° 1) sont : abstrus, camus, confus, diffus, inclus, intrus, obtus, perclus et reclus.

3. Indu

Vous ne deviez pas commettre d'erreur car l'adjectif vous a été présenté à propos du commentaire de l'adverbe *indûment* (test 18, 6). Ne vous laissez pas tromper par l'accent circonflexe de cet adverbe, ni par celui du participe *dû* (verbe *devoir*) qui prend cet accent au masculin singulier, ce qui le distingue de l'article *du*. On écrira donc : un honneur *dû*, la somme *due*, une récompense *indue*.

4. **Compte rendu**
L'expression ne comporte pas de trait d'union. Mais vous écrirez : *un procès-verbal*.

5. **Soierie**
Le nom garde le E du radical *soie*.

6. **Voirie**
Le nom ne garde pas le E du radical *voie*.

7. **Barème**
Vous savez que ce nom vient de celui d'un certain François Barrême, auteur d'un ouvrage intitulé *Comptes faits du grand commerce* (1670). L'orthographe de son nom a été simplifiée par l'usage, qui a fait disparaître un R et remplacé l'accent circonflexe par l'accent grave. Vous connaissez d'autres noms communs qui ont pour origine un nom propre : ainsi la *mansarde* doit son nom à l'architecte François Mansart ou Mansard (1598-1666) dont on a retenu l'orthographe avec D peut-être pour des raisons d'euphonie dans le nom dérivé (*mansarde* est plus aisé à prononcer en français que **mansarte*, qui aurait une consonance trop germanique). Il faut donc éviter la faute fréquente consistant à écrire ce mot avec un accent circonflexe et toujours écrire *barème*.

8. **Choucroute**
Pas d'accent. Ne pas confondre avec *croûte*.

La seconde partie du mot vient de l'allemand *Kraut*, qui veut dire *chou*. En effet, *choucroute* est la francisation de S*auerkraut*, chou aigre (*sauer* = aigre). En français, curieusement, c'est le début du mot qui a été ressenti comme l'équivalent du nom *chou*, avec lequel il n'avait cependant rien à voir. En tout cas, la *choucroute* n'a pas de rapport étymologique avec une quelconque *croûte*, encore que le fond de la cocotte où a mijoté une excellente et grasse choucroute présente une savoureuse croûte dorée appréciée des gourmets.

9. Arôme

Avec accent circonflexe. En revanche, pas d'accent sur les mots de la famille comme *aromate*, *aromatique*, bien que ces mots viennent d'un mot grec qu'on peut transcrire sous la forme *arôma* (avec O long appelé en grec *oméga*). Ne pas confondre avec la fleur appelée *arum* (pl. : *des arums*).

10. Cote

Pas d'accent, lorsqu'il s'agit de la mesure.

Ne pas confondre la *cote* d'alerte avec la *Côte* d'Azur.

LA FAMEUSE DICTÉE

Et voici la fameuse dictée de Prosper Mérimée.

L'écrivain français (1803-1870), auteur de nouvelles célèbres (*Colomba*, *Carmen*), inspecteur général des monuments historiques, fut un familier de la cour de Napoléon III. On s'amusait beaucoup aux Tuileries, et parfois à des jeux intellectuels. Ainsi Mérimée proposa un jour (en 1857) cette dictée hérissée de difficultés. L'empereur brilla par son ignorance (75 fautes) : il est vrai qu'il avait été élevé en Suisse alémanique. L'impératrice Eugénie, d'origine espagnole, s'en tira avec 62 fautes. Le champion fut un jeune diplomate autrichien de vingt-huit ans, Metternich, fils du ministre qui avait été le grand organisateur du congrès de Vienne en 1815 et le véritable arbitre de l'Europe. Le jeune secrétaire d'ambassade ne fit que 3 fautes ! À l'époque, le français était une langue vraiment bien connue des élites européennes : on ne parlait pas encore de francophonie.

Serez-vous aussi fort que le jeune Metternich ? Pour vous en rendre compte, il faudrait que vous vous fassiez dicter le texte sans l'avoir regardé. Si cela vous est possible, faites-le !

Mais nous vous proposons ici un exercice moins ardu : il ne portera que sur quelques accords. Vous trouverez au cours du texte, entre parenthèses, un mot ou une expression en italique. Il faudra parfois choisir (par exemple entre *quel... que* et *quelque*) et, quand il y a lieu, faire l'accord. Si l'on écrit dans le texte : "Je les ai (*vu*)", vous transcrivez : *vus* dans la grille des réponses. Dans la phrase : "Il la poursuivit dans l'église (*tout*) entière", vous écrirez : *tout* (*tout* est un adverbe invariable). Dans certains cas on vous demandera d'écrire la forme verbale correcte.

Exemple : "Il (*se laisser*, passé composé) entraîner." Vous écrirez : *s'est laissé*, etc.

(Les formes entre parenthèses sont rappelées, avec le numéro, dans la grille des réponses.)

Texte de la dictée

Pour parler sans ambiguïté, ce dîner à Sainte-Adresse, près du Havre, malgré les effluves embaumés de la mer, malgré les vins de très (1. *bon cru*), les cuisseaux de veau et les cuissots de chevreuil prodigués par l'amphitryon, fut un vrai guêpier.

(2. *quel... que* ou *quelque*) soient et (3. *quel... que* ou *quelque*) (4. *exigu*) qu'aient pu paraître, à côté de la somme due, les arrhes qu'étaient (5. *censé*) avoir (6. *donné*) à maint et maint fusilier subtil la douairière et le marguillier, bien que lui ou elle soit (7. *censé*) les avoir (8. *refusé*) et s'en soit (9. *repenti*), va-t'en les réclamer pour telle ou telle bru jolie par qui tu les diras (10. *redemandé*), quoiqu'il ne lui (11. verbe *seoir*) pas de dire qu'elle se les (12. verbe *laisser* au passé composé) arracher par l'adresse desdits fusiliers et qu'on les leur aurait (13. *suppléé*) dans (14. *tout*) autre circonstance ou pour des motifs de toutes sortes.

Il était infâme d'en vouloir pour cela à ces fusiliers jumeaux et malbâtis et de leur infliger une raclée, alors qu'ils ne songeaient qu'à prendre des rafraîchissements avec leurs coreligionnaires.

(15. *quoique* ou *quoi... que*) il en soit, c'est bien à tort que la douairière, par un contresens exorbitant, (16. *se laisser entraîner* au passé composé) à prendre un râteau et qu'elle (17. *se croire* au passé composé) (18. *obligé*) de frapper l'exigeant marguillier sur son omoplate (19. *vieilli*).

Deux alvéoles furent (20. *brisé*), une dysenterie se déclara, suivie d'une phtisie.

"Par saint Martin, quelle hémorragie!" s'écria ce bélître. À cet événement, saisissant son goupillon, ridicule excédent de bagage, il la poursuivit dans l'église (*tout*) entière.

P. Mérimée

▶ Vos réponses

		Forme correcte	1 point par réponse
1	bon cru		
2	quel… que/quelque		
3	quel… que/quelque		
4	exigu		
5	censé		
6	donné		
7	censé		
8	refusé		
9	repenti		
10	redemandé		
11	seoir		
12	laisser		
13	suppléé		
14	tout		
15	quoique/quoi… que		
16	se laisser entraîner		
17	se croire		
18	obligé		
19	vieilli		
20	brisé		
		Total sur 20	

→ Réponses p. 414

▶ Réponses en vue de l'évaluation

1. bons crus
2. quelles que
3. quelque
4. exiguës
5. censés
6. données
7. censée
8. refusées
9. repentie
10. redemandées
11. siée
12. est laissé
13. suppléées
14. toute
15. quoi qu'
16. s'est laissé
17. s'est cru
18. obligée
19. vieillie
20. brisés

Texte rétabli

Pour parler sans ambiguïté, ce dîner à Sainte-Adresse, près du Havre, malgré les effluves embaumés de la mer, malgré les vins de très (1) *bons crus*, les cuisseaux de veau et les cuissots de chevreuil prodigués par l'amphitryon, fut un vrai guêpier.

(2)*Quelles que* soient et (3) *quelque* (4) *exiguës* qu'aient pu paraître, à côté de la somme due, les arrhes qu'étaient (5) *censés* avoir (6) *données* à maint et maint fusilier subtil la douairière et le marguillier, bien que lui ou elle soit (7) *censée* les avoir (8) *refusées* et s'en soit (9) *repentie*, va-t'en les réclamer pour telle ou telle bru jolie par qui tu les diras (10) *redemandées*, quoiqu'il ne lui (11) *siée* pas de dire qu'elle se les (12) *est laissé* arracher par l'adresse desdits fusiliers et qu'on les leur aurait (13) *suppléées* dans (14) *toute* autre circonstance ou pour des motifs de toutes sortes.

Il était infâme d'en vouloir pour cela à ces fusiliers jumeaux et malbâtis et de leur infliger une raclée, alors qu'ils ne songeaient qu'à prendre des rafraîchissements avec leurs coreligionnaires.

(15) *Quoi qu'*il en soit, c'est bien à tort que la douairière, par un contresens exorbitant, (16) *s'est laissé* entraîner à prendre un râteau et qu'elle (17) *s'est cru* (18)

obligée de frapper l'exigeant marguillier sur son omoplate (19) *vieillie*.

Deux alvéoles furent (20) *brisés*, une dysenterie se déclara, suivie d'une phtisie.

"Par saint Martin, quelle hémorragie!" s'écria ce bélître. À cet événement, saisissant son goupillon, ridicule excédent de bagage, il la poursuivit dans l'église tout entière.

P. Mérimée

▶ Réponses commentées

1. Bons crus

Dans un grand repas où l'on sert plusieurs vins, ils sont nécessairement de crus différents : d'où le pluriel. Pas d'accent circonflexe (à la différence du participe *crû*, du verbe *croître*).

2. Quelles que

Quelles est un adjectif indéfini au féminin pluriel (accord avec le mot *arrhes*, féminin pluriel, auquel il se rapporte, malgré l'éloignement des deux mots). *Que* est une conjonction de subordination marquant la supposition.

3. Quelque (*quelque* exiguës *qu'*aient pu paraître)

Valeur adverbiale. Vous pouvez remplacer *quelque* par *si* (*si* exiguës *qu'*aient pu paraître), ce qui vous montre bien qu'il s'agit d'un adverbe.

4. Exiguës

Pour l'accord avec *arrhes*, voir nº 2. Notez la présence du tréma sur le E du féminin.

5. Censés

Participe employé comme adjectif. Accord avec le sujet du verbe *étaient*, sujet auquel se rapporte le mot *censés*. Mais il faut bien voir que :

1) le groupe sujet est inversé, placé bien après le verbe (*la douairière et le marguillier*) ;

2) deux sujets au singulier dont un est au masculin entraînent le masculin pluriel : “La douairière et le marguillier *étaient censés* avoir donné des arrhes.

6. Données

Accord classique du participe passé employé avec *avoir*. Il faut chercher le C.O.D. C'est le pronom relatif *qu'* mis pour l'antécédent *arrhes*, féminin pluriel. D'où l'accord.

7. Censée

On aurait pu trouver **deux types d'accord** :

1) *Bien que lui ou elle soient censés* (voir ci-dessus nº 5).

2) *Bien que lui ou elle soit censée*

Accord de voisinage avec un seul des deux sujets. Le plus proche est au féminin : l'accord se fait au féminin. Il faut entendre : *Bien que lui* (*soit censé* : sous-entendu) *ou elle soit censée.*

— Mais vous n'aviez pas le choix car le verbe *soit*, écrit dans le texte, vous imposait le singulier, donc l'accord nº 2.

8. Refusées

Accord du participe passé employé avec *avoir*.

Notez que l'accord existe même lorsqu'il s'agit, comme ici, de l'infinitif passé. Il faut chercher le C.O.D. C'est le pronom *les*, toujours mis pour le nom *arrhes* (voir nº 2, nº 4, nº 6).

9. Repentie

Accord du participe employé avec *être*. Le sujet est le pronom *elle* (voir le n° 7) en raison du choix de l'accord au singulier (accord de proximité).

10. Redemandées

Le participe est employé comme attribut du C.O.D. *les* (= *les arrhes*) : d'où l'accord. On pourrait développer l'expression sous cette forme : *Par qui tu diras qu'elles ont été redemandées*. Nous voyons alors, dans la subordonnée complément d'objet (*qu'elles ont été redemandées*), la forme verbale complète (*ont été redemandées*), un passé composé à la voix passive du verbe *redemander*.

11. Siée

3e personne du présent du subjonctif du verbe *seoir*. Le subjonctif est imposé dans une proposition de concession (*bien que*, *quoique* — en un seul mot ! —) : "Quoique tu *sois* savant en orthographe, je crains que tu te sois trompé."

Voici quelques formes du verbe *seoir* (verbe défectif, c'est-à-dire qui ne possède pas toutes les formes) : *il sied* (présent-indicatif), *il seyait* (imparfait-indicatif) *il siéra* (futur-indicatif) *il siérait* (conditionnel) *qu'il siée* (présent du subjonctif).

12. Est laissé

Il faut bien voir que le pronom réfléchi *se* dans l'expression *elle se les est laissé arracher* n'est pas un complément d'objet direct (nous n'avons pas un réfléchi direct : elle les a laissé arracher *à elle*). Mais le pronom personnel *les* n'est pas le complément direct du verbe *s'est laissé*, c'est le complément direct du verbe *arracher* : “Elle s’est laissé arracher les arrhes.” Le participe *laissé* est donc invariable.

13. Suppléées
Le participe s’accorde avec le C.O.D. *les* (= les *arrhes*) placé avant le verbe. Attention aux trois E.

14. Toute
Il s’agit ici de l’adjectif indéfini. Il s’accorde avec le nom auquel il se rapporte. Ne pas confondre avec “il la poursuivit dans l’église *tout entière*.” Pour éviter une erreur, remplacez *toute* par *une* ou par *n’importe quelle* : *toute* autre réponse (n’importe *quelle* autre réponse).

15. Quoi qu’
Dans l’expression *quoi qu’il en soit*, *quoi que*, en deux mots, signifie : *quelle que soit la chose que*.
C’est encore une expression de l’indéfini. Ne pas confondre : “*Quoiqu’il en soit revenu*, il risquait sa vie en allant là-bas” (quoique = conjonction de subordination exprimant la concession et suivie du subjonctif ; voir n° 11) et : “*Quoi qu’il en soit*, il a couru de grands risques.”

16. S’est laissé
Le sujet est le nom féminin *douairière* mais il faut bien voir que le pronom réfléchi qui représente la même personne est en fait le C.O.D. du verbe *entraîner* : *elle a laissé entraîner elle-même*. Vous écrirez : “Elle s’est *laissée* tomber (*tomber* n’a pas de C.O.D.) mais : “Elle s’est *laissé* maltraiter (S’, pronom, est le C.O.D. dc *maltraiter*).

17. S'est cru
Emploi impersonnel = *elle a cru qu'elle était obligée*
Cru reste donc invariable.

18. Obligée
Voyez la construction développée ci-dessus n° 17.

19. Vieillie
Il suffit de savoir que le nom *omoplate* est du féminin : une *omoplate*.

20. Brisés
Il suffit de savoir que le nom *alvéole* est du masculin : *un alvéole*.

Autres remarques
Cette dictée se prête à de nombreux autres commentaires. Nous ne ferons pas de remarques sur l'orthographe d'usage si ce n'est pour vous signaler la liste des mots délicats (particulièrement en ce qui concerne les signes orthographiques) : ambiguïté - dîner - effluve - cuisseau (rime avec *veau*) - cuissot - amphitryon - guêpier - arrhes - fusilier (ne pas confondre avec le verbe *fusiller*) - marguillier (2 l) - censé (ne pas confondre avec *sensé*) - infâme (mais : *infamie*) - jumeau - malbâti - raclée (pas d'accent circonflexe sur les mots de la famille ; ne pas confondre avec *bâcler*) - coreligionnaire (pas d'accent sur E, un seul R, deux N) - contresens (un seul mot) - rafraîchissement - entraîner - râteau (les accents circonflexes) - exorbitant (de *orbite*, pas d'H) - exigeant (ne pas confondre avec les adjectifs verbaux en *-ent* comme *détergent*) - dysenterie - phtisie - hémorragie - bélître

- événement (deux accents aigus) - excédent (cas des adjectifs verbaux : ici, adjectif employé comme nom).

Notons encore :

— Sainte-Adresse : S majuscule et trait d'union car il s'agit d'un nom de ville. Quand on parle de la personne du saint, pas de majuscule, pas de trait d'union : sainte Adresse, sainte Jeanne, saint Bernard, etc. Mais : rue Saint-Bernard.

— Maint et maint : peut se mettre au pluriel. Une variante du texte donne l'expression : *maints et maints fusiliers subtils*. Dans une dictée, la liaison ne permet pas de confusion.

— Va-t'en : ne pas confondre l'usage du trait d'union et l'usage de l'apostrophe. Dans *Va-t-il mieux ?*, le T est là pour l'euphonie, mais dans l'expression *Va-t'en*, le T est une forme élidée du pronom de la 2e personne. Quand il y a élision, on met une apostrophe.

L'expression "Par saint Martin" illustre la remarque faite ci-dessus à propos de Sainte-Adresse.

CONNAISSEZ-VOUS LA RÉFORME ?

Elle semble près de tomber dans les oubliettes comme la plupart de ses devancières, notamment la réforme d'Octave Gréard, en 1893, qui ne put aboutir. On ne parle plus des mesures réglementaires d'application, trois ans après le discours du 24 octobre 1989, dans lequel le Premier ministre proposait à la réflexion du Conseil supérieur de la langue française cinq points concernant l'orthographe :

le trait d'union,
le pluriel des noms composés,
l'accent circonflexe,
le participe passé des verbes pronominaux,
diverses anomalies.

Nous allons vous proposer un test en vingt questions en vous présentant des mots ou des expressions sans vous dire s'il s'agit de l'orthographe traditionnelle ou de l'orthographe prévue par la réforme. C'est vous qui, sur la grille des réponses, indiquerez par une croix dans la colonne “Réforme” ou par une croix dans la colonne “Tradition” de quel type d'orthographe relève la forme en question.

→ **Par exemple**, si l'on vous propose la forme *tamtam* (en un seul mot), vous mettrez une croix dans la colonne “Réforme”, à hauteur du mot.

Attention : quand l'orthographe recommandée dans la réforme existe déjà dans l'orthographe traditionnelle, vous mettrez une croix dans la colonne “Tradition”.

→ **Par exemple**, si l’on vous propose la forme *croquemitaine*, qui était déjà admise avant la réforme, vous mettrez une croix dans la colonne “Tradition”.

▶ Vos réponses

	Mot ou expression proposés	Tradition	Réforme	1 point par réponse
1	l'électroménager			
2	cent-trois			
3	un croquemonsieur			
4	un vanupied			
5	un arcboutant			
6	un millefeuille			
7	un cure-dent			
8	des cure-dents			
9	des perce-neiges			
10	un traitre			
11	assidument			
12	sureté			
13	la cigüe			
14	l'ambigüité			
15	elle s'est *laissé* séduire			
16	je les ai *laissé* partir			
17	combatif			
18	charriot			
19	cahute			
20	les sels *dissouts*			
			Total sur 20	

→ Réponses p. 424

▶ Réponses en vue de l'évaluation

En face de chaque numéro, la lettre T signifie "orthographe traditionnelle", la lettre R signifie "orthographe selon la réforme".

1. T	11. R
2. R	12. R
3. R	13. R
4. R	14. R
5. R	15. T
6. T	16. T
7. T	17. T
8. T	18. R
9. R	19. T
10. R	20. R

▶ Réponses commentées

1. L'électroménager • T
L'orthographe traditionnelle recommandait déjà que le trait d'union après *électro* fût remplacé par l'agglutination devant un mot commençant par une consonne.

2. Cent-trois • R
Orthographe traditionnelle : *cent trois* sans trait d'union.

La réforme demande que tous les éléments d'un nom de nombre soient réunis par un trait d'union. Il aurait été plus simple et tout aussi logique de les supprimer partout.

3. Un croquemonsieur • R
Orthographe traditionnelle *croque-monsieur*, avec trait d'union. Cette simplification par agglu-

tination serait acceptable mais le mot n'est-il pas plus drôle et plus expressif avec son tiret ? Il est plus proche de la formule d'invitation : “Croque, Monsieur !” De plus, on n'imagine pas un pluriel “croquemonsieurs” et moins encore “croquemessieurs”.

4. Un vanupied • R
Orthographe traditionnelle : *va-nu-pieds* avec traits d'union.
Ici, le mot composé est totalement dénaturé par la liaison.

5. Un arcboutant • R
Orthographe traditionnelle : *arc-boutant* avec trait d'union.
Le groupe consonantique RCB n'est pas conforme au génie de la langue.

6. Un millefeuille • T
Le mot s'écrit à volonté avec ou sans trait d'union dans l'orthographe traditionnelle. La réforme, qui fait disparaître le trait d'union, n'innove en rien.

7. Un cure-dent • T
La réforme recommande de supprimer le S au singulier mais l'orthographe traditionnelle l'autorisait déjà. Là encore, la réforme n'innove en rien. Elle est inutile.

8. Des cure-dents • T
Même remarque.

9. Des perce-neiges • R
Orthographe traditionnelle : *des perce-neige*.
La réforme veut à toute force imposer des

marques du pluriel dans les cas qui le justifient le moins. Les *perce-neige* sont les fleurs qui percent *la neige*.

10. Un traitre • R

Orthographe traditionnelle : *un traître*.

La réforme recommande de supprimer l'accent circonflexe le plus souvent possible sur I et U mais elle est bien obligée de le maintenir dans certains cas, par exemple pour distinguer *sûr* (adjectif) et *sur* (préposition). Dans ce cas, mieux vaut ne rien bouleverser du tout.

11. Assidument • R

Orthographe traditionnelle : *assidûment*.

Adverbe formé sur l'adjectif *dû*, féminin *due*, ce qui explique amplement l'allongement de la syllabe *dû* à l'intérieur de l'adverbe.

12. Sureté • R

Orthographe traditionnelle : *sûreté*.

Cette orthographe traditionnelle est logique en maintenant l'accent circonflexe de l'adjectif *sûr*, où la réforme elle-même conserve l'accent.

13. La cigüe • R

Orthographe traditionnelle : *la ciguë*.

Sur la question du tréma, les auteurs de la réforme expliquent : “Le tréma interdit qu'on prononce deux lettres en un seul son (exemple *lait* mais *naïf*).” Ce n'est pas faux, mais c'est insuffisant. En fait, le tréma, nous l'avons dit, indique que **la lettre qui le précède** doit être prononcée à part, ce qui donne la clé du système et permet de comprendre aussi bien *aiguë* que *Saül* et *aïeux*. Faute de recourir à cette explication classique, force est d'introduire une notion de semi-voyelle ; prenons le mot *aïeux* ; ce n'est pas le I tréma qui se prononce à part, c'est le A. Quant au I, il se combine avec les lettres suivantes *-eux* pour donner la diphtongue *ïeux*. Et, selon cette réforme, quel serait le masculin de *aigüe* ? *aigü* ?

14. L'ambigüité • R

Orthographe traditionnelle : *ambiguïté*.

Voir ci-dessus n° 13.

15. Elle s'est laissé séduire • T

La réforme décrète : "Le participe passé de *laisser* suivi d'un infinitif est invariable dans tous les cas, même quand il est employé avec l'auxiliaire *avoir* et même quand l'objet est placé avant le verbe." Or dans le cas présent *laissé* doit logiquement rester invariable car le pronom réfléchi *se* n'est pas le C.O.D. de *laissé* mais de l'infinitif séduire (voir la dictée de Mérimée, commentaire n° 16).

La réforme donne ici une prescription inutile.

16. Je les ai laissé partir • T

La réforme est inutile car depuis longtemps la règle suivante est établie : "Pour ce qui est du participe *laissé*, on peut, à volonté, le laisser invariable ou lui appliquer la règle générale ; ex. : "Les pommes qu'il a *laissées* ou *laissé* pourrir" ; l'on admet dans tous les cas que le participe passé suivi de l'infinitif reste invariable ou que l'accord n'intervienne que pour éviter un risque d'ambiguïté."

17. Combatif • T

La réforme propose *combattif* comme *combattre*.

18. Charriot • R

La réforme supprime la célèbre (et unique) exception de la famille de *char*.

19. Cahute • T

La réforme propose d'écrire *cahutte* comme *hutte*.

20. Les sels dissouts • R

La réforme propose de régulariser *dissous*, *dissoute*, en *dissout*, *dissoute* mais elle crée, avec le pluriel, une formation bizarre au masculin.

Notre conclusion sur cette réforme (vraisemblablement avortée) est que ses propositions se répartissent en trois groupes :

— celles qui sont choquantes,

— celles qui sont inutiles parce que déjà admises,

— celles qui, en prétendant résoudre des anomalies et supprimer des exceptions, en créent d'autres, qui compliquent la langue car elles ajoutent des règles et contribuent un peu plus à la confusion.

Pour aller plus loin

Avant d'aller plus loin, songez à votre bilan.

Si vous avez obtenu une moyenne inférieure à 10 sur 20 pour les résultats du chapitre I et du chapitre X, commencez par consolider les bases de vos connaissances. Vous avez deux manières de procéder : l'une, la plus simple, consiste à refaire l'ensemble des soixante tests des dix premiers chapitres. Maintenant que vous avez eu connaissance des commentaires, vous obtiendrez nécessairement des résultats plus encourageants. Un autre procédé consiste à vous reporter à un livre élémentaire d'entraînement à l'orthographe. Le plus connu (et le mieux fait) est le fameux *Bled* (Edouard et Odette Bled, *Cours d'orthographe*, Classiques Hachette, nouvelle édition). En Marabout, le *Guide d'orthographe* Bled/Bénac (MS84) et *100 dictées pièges* (MS96).

De toute manière, pour assurer votre orthographe, vous avez besoin de conserver à portée de la main une bonne grammaire et un dictionnaire. Les champions les plus confirmés en ont eux-mêmes besoin.

• Quelle grammaire choisir ?

La meilleure grammaire est celle qui vous est familière. En effet, il vous sera commode de vous orienter à travers ses chapitres et sa consultation vous aidera à vous remémorer les leçons que vous avez reçues jadis.

Si vous n'avez pas — ou plus — de grammaire, nous vous en recommandons une de bon niveau, puisqu'elle s'adresse à des élèves de troisième (niveau du brevet des collèges). Elle est associée à l'étude de l'expression française, ce qui la rend moins austère. Il s'agit du livre intitulé justement *Expression et grammaire* (NAJAC 3e) et édité par l'O.C.D.L. 65, rue Claude-Bernard, 75005 Paris.

• Le dictionnaire :
Celui qui est dans votre bibliothèque fera l'affaire. Si vous tenez cependant à renouveler et à enrichir votre information, vous avez l'embarras du choix entre la dernière édition du *Petit Robert 1* et celle du *Lexis Larousse*. Vous pouvez aussi trouver une réédition du savant dictionnaire de Littré, mais c'est là un instrument pour les érudits et, du reste, insuffisant pour une partie du vocabulaire contemporain.

Il est aussi un ouvrage en forme de dictionnaire qui peut vous rendre en permanence d'indéniables services ; si vous avez la chance de le posséder ou de l'acquérir, gardez-le sans cesse à portée de la main : il s'agit d'*Ortho vert, dictionnaire orthographique et grammatical*, par André Sève, directeur d'imprimerie, et Jean Perrot, agrégé de grammaire (Éditions Edsco, Chambéry). Sa première édition est déjà ancienne, puisqu'elle remonte au milieu de ce siècle, mais, à notre avis, on n'a rien fait de plus complet et de plus maniable à la fois, pour répondre à tout instant aux questions que vous pouvez vous poser sur l'orthographe d'usage, sur un accord, sur un détail de typographie. C'est par excellence le dictionnaire des protes, des dactylos, des secrétaires… et des écrivains qui ne veulent jamais broncher en matière d'orthographe.

Enfin, vous trouverez dans le *Dictionnaire étymologique* de Dauzat (sixième édition revue et corrigée, 1990, par Albert Dauzat, directeur d'études à l'Ecole pratique des Hautes Etudes, Jean Dubois, professeur à l'Université de Paris-X Nanterre et Henri Mitterrand, professeur à l'Université de Paris-III) l'indispensable connaissance de l'étymologie. Une introduction substantielle vous enseignera les règles de la phonétique française et vous comprendrez mieux la naissance de notre langue. Ainsi, bien des mystères de l'orthographe d'usage s'éclaireront pour vous : les comprenant mieux, vous les retiendrez mieux (Librairie Larousse).

Mais les futurs champions et même, tout simplement, les personnes qui cherchent à approfondir leurs connaissances orthographiques auront besoin de quelques instruments supplémentaires.

— ***Savoir conjuguer tous les verbes français***
C'est assez difficile, mais indispensable à qui veut être inattaquable en matière d'orthographe, et c'est précisément le titre d'un petit ouvrage écrit par Jean Girodet, agrégé de grammaire (Editions Bordas). La première partie du livre est constituée par un ensemble de tableaux qui présentent 127 paradigmes de la conjugaison. La seconde partie est un index de tous les verbes français, même des verbes rares, qui renvoie aux paradigmes. Ainsi, d'un coup d'œil, vous pouvez retrouver n'importe quelle forme, quelle que soit la conjugaison plus ou moins déroutante à laquelle vous serez affronté. Il n'est pas mauvais d'y vérifier aussi de temps en temps telle forme d'un verbe que l'on croit bien connaître.

— ***Champion d'orthographe*** (par Raymond Jacquenod)
Sans sortir du domaine propre de l'orthographe, nous

vous proposons encore ce manuel d'un bon niveau qui vous permettra, en quelques heures de travail par semaine (ou par mois), de parcourir, à travers une série de dictées spécialement composées et commentées, l'ensemble des difficultés les plus caractéristiques de l'orthographe. Il comporte de nombreux compléments, notamment l'étude des verbes, des préfixes, des racines, des principaux cas d'homonymie, d'homophonie, d'homographie et de paronymie, sans compter un exposé critique complet de la "réforme" de l'orthographe. Il constitue la seconde étape de votre ascension vers les sommets de l'orthographe (Pierre Bordas et fils, 7, rue Princesse, 75006 Paris).

— ***Je teste et j'enrichis mon vocabulaire*** (par Paul Désalmand)
Nous vous l'avons maintes fois répété : la connaissance de l'orthographe d'usage est étroitement liée à celle du vocabulaire. Elles s'éclairent souvent l'une par l'autre, plus d'un test vous l'a montré. Vous avez là un livre conçu dans le même esprit que celui avec lequel vous venez de travailler : un instrument d'appréciation personnelle et un moyen amusant de se perfectionner, en soixante tests divertissants qui vous aideront à enrichir votre vocabulaire dans des domaines comme celui des sciences et des techniques, de la presse, de la justice, de l'argent, etc. "Ce livre, dit l'auteur, permet de découvrir de nouveaux mots, mais, plus encore, de distinguer des mots que l'on confond parfois, de préciser des sens un peu flous, de découvrir des significations nouvelles, de prendre conscience d'un contresens fréquemment commis." (Editions Marabout, MS104.)

— ***Code du bon français*** (Alexandre Borrot, Marcel Didier et Jean-Luc Rispail)
Ce code, sous-titré "dictionnaire pratique des difficul-

tés de la langue", est dédié "à ceux qui veulent savoir bien lire et bien écrire". Il dépasse un peu l'objet de la seule orthographe. Mais, nous ne nous lasserons pas de le dire, l'orthographe n'est pas une connaissance formelle : elle repose sur l'intelligence même de la langue. Particulièrement, ce livre offre de la grammaire concrète appliquée à chaque cas (genre du nom, construction du verbe, accord de l'adjectif, etc.) et réserve une large place à l'orthographe d'usage, mettant en évidence exceptions, anomalies, bizarreries, règles mal connues (Editions Magnard, 122, boulevard St-Germain, 75006 Paris).

Ces instruments n'ont rien d'ennuyeux manuels ; ils sont parfaitement accessibles, écrits dans un langage sans prétention pédante et, partant, leur efficacité en est renforcée. Leur pratique vous assurera plus que la maîtrise de l'orthographe : un considérable supplément de culture.

Index

La liste ci-après renvoie aux notions qui sont présentées et utilisées dans l'ouvrage, ainsi qu'aux mots d'orthographe d'usage qui ont fait l'objet d'une question-test et du commentaire correspondant.

Les chiffres renvoient aux pages.

L'abréviation *sqq.* renvoie aux pages qui suivent le numéro indiqué.

Le mot *passim* renvoie indifféremment à l'ensemble de l'ouvrage.

L'auteur

Ancien élève de l'école normale d'instituteurs de la Haute-Saône, agrégé de lettres classiques, docteur ès lettres (civilisation latine), inspecteur général honoraire de l'Instruction publique et ancien directeur de l'Institut national de recherche pédagogique, ***Raymond Jacquenod*** *a exercé de la classe enfantine à l'université. Il a surtout enseigné le français et les langues anciennes à des élèves de lycée et il fut seize ans proviseur, notamment à la tête du lycée-pilote de Montgeron. Il a présidé pendant dix ans la Commission de l'Éducation de l'Union internationale des organismes familiaux. Actuellement expert-consultant scolaire.*

Aux éditions Marabout

Cent expressions latines usuelles traduites et expliquées (MS 1205)

Aux éditions Sylvie Messinger

Promotion 2000

Aux éditions Pierre Bordas et fils

Anthologie de la poésie française
Champion d'orthographe

Le français et la culture générale chez Marabout

La série « CITATIONS EXPLIQUÉES »

— *100 grandes citations expliquées* (MS 89)
— *100 grandes citations littéraires expliquées* (MS 103)
— *100 grandes citations historiques expliquées* (MS 97)
— *100 grandes citations politiques expliquées* (MS 73)
— *50 grandes citations du théâtre et du cinéma expliquées* (MS 76)
— *50 grandes citations philosophiques expliquées* (MS 99)

La série « TEXTES EXPLIQUÉS »

— *12 poèmes de Baudelaire expliqués* (MS 1204)
— *12 poèmes de Rimbaud expliqués* (MS 1207)
— *12 poèmes de Verlaine expliqués* (MS 1208)

La série « MODÈLES »

— *50 modèles de dissertation* (MS 53)
— *50 modèles de commentaires composés* (MS 50)
— *50 modèles de résumés de texte* (MS 51)
— *50 modèles de dissertations philosophiques* (à paraître)

La série « MOTS CLÉS »

— *50 mots clés de la culture générale contemporaine* (MS 97)
— *50 mots clés de la culture générale classique* (MS 1200)
— *25 mots clés de la psychologie et de la psychanalyse* (à paraître)

IMPRESSION : BUSSIÈRE S.A., SAINT-AMAND (CHER). — N° 3690
D. L. JANVIER 1993/0099/23

ISBN 2-501-01730-7

Imprimé en France